Prix du Me~~illeur~~
des

Ce roman fait ~~...~~
Prix ~~...~~
des le~~...~~ ~~P~~OINTS !

Le Prix du Meilleur Roman des lecteurs de Points, ce sont :
- 10 romans choisis avec amour par Points,
- 60 jurés lecteurs enthousiastes et incorruptibles,
- une année de lectures, de conversations et de débats,
- un vote à bulletin secret, un suspense insoutenable…
Et un seul lauréat !

Qui sera le successeur de David Grossman, Steve Tesich, Joyce Carol Oates, Michel Moutot et Metin Arditi ?

Pour tout savoir sur les livres sélectionnés, donner votre avis sur ce livre et partager vos coups de cœur avec d'autres passionnés, rendez-vous sur :

www.prixdumeilleurroman.com

En partenariat avec *Page des libraires*,
30 ans de lectures partagées

Cécile Coulon est née en 1990. Après des études en hypo-khâgne et khâgne à Clermont-Ferrand, elle poursuit des études de Lettres modernes. Outre son goût prononcé pour la littérature, de John Steinbeck à Luc Dietrich, Nathalie Sarraute ou Marie-Hélène Lafon en passant par Tennessee Williams, Stephen King ou Jacques Prévert, elle est aussi passionnée de cinéma et de musique.

Cécile Coulon

TROIS SAISONS D'ORAGE

ROMAN

Viviane Hamy

TEXTE INTÉGRAL

ISBN 978-2-7578-6934-5
(ISBN 978-2-87858-337-3, 1re publication)

© Éditions Viviane Hamy, 2017

J'aurais pu, tant mon esprit fatigué
se réfugiait dans le mensonge,
finir par affirmer que rien n'avait eu lieu :
il n'est pas plus absurde de nier
le passé que d'engager l'avenir.

Marguerite Yourcenar,
Alexis ou Le Traité du vain combat

Nul, depuis vous, n'a osé cultiver cette terre désolée,
ni relever ces humbles cabanes.
Vos chèvres sont devenues sauvages ;
vos vergers sont détruits ; vos oiseaux sont enfuis
et on n'entend plus que les cris des éperviers
qui volent en rond au haut de ce bassin de rochers.

Bernardin de Saint-Pierre,
Paul et Virginie

Une histoire

La maison, ou ce qu'il en reste, surplombe la vallée ; ses fenêtres, quatre grands yeux vides, veillent, à l'est du massif des Trois-Gueules.

Les Fontaines, ce village minuscule, tachent le paysage, morceau de craie dérivant au cœur d'une mer végétale et calcaire. La forêt crache les hommes comme des pépins, les bois bruissent, des traînées de brume couronnent leurs faîtes au lever du soleil, la lumière les habille. À l'automne, des vents furieux secouent les arbres. Les racines émergent alors du sol, les cimes retournent à la poussière, le sable, les branches et la boue séchée s'enlacent en tourbillons au-dessus des toits. Les fourmis s'abritent dans le ventre des collines, les renards trouent le sol, les cerfs s'enfuient ; les corbeaux, eux, résistent toujours à la violence des éléments.

Les hommes, pourtant, estiment pouvoir dominer la nature, discipliner ses turbulences, ils pensent la connaître. Ils s'y engouffrent pour la combler de leur présence, en oubliant, dans un terrible excès d'orgueil, qu'elle était là avant eux, qu'elle ne leur appartient pas, mais qu'ils lui appartiennent. Elle peut les broyer à la seule force de sa respiration, elle n'a qu'à frémir pour qu'ils disparaissent.

Les Fontaines.

Je vous parle d'un endroit qui est mort mille fois avant mon arrivée, qui mourra mille fois encore après mon départ, d'un lieu humide et brumeux, couvert de terre, de pierre, d'eau et d'herbe. Je vous parle d'un endroit qui a vu des hommes suffoquer, des enfants naître, d'un lieu qui leur survivra, jusqu'à la fin, s'il y en a une.

Je suis né dans une église. Une église de grande ville. Je mourrai dans une église. Une église de village. Celle des Fontaines. Plantée au milieu. Je m'appelle Clément, je suis vieux, comme tous les hommes d'Église. Et comme tous les hommes d'Église, je n'ai pas d'histoire ; j'ai abandonné la mienne pour entendre quotidiennement celles des autres. Mais la plus étrange, la plus terrifiante, l'histoire qui m'a empêché de dormir la nuit, qui m'a meurtri, moi, l'homme sans passé, celui qui marche sans bruit, rassure sans toucher, écoute sans souffler, l'histoire qui a effacé toutes les autres, c'est celle d'une famille. Elle n'était ni la plus riche, ni la plus puissante, ni la plus aimée du village, mais comme la plupart des familles, elle s'était construite sur les faiblesses des uns et les silences des autres, sur les malheurs qu'on veut oublier et les craintes de l'avenir. Elle portait les reliques du passé de ses membres, jusqu'au jour où ces traces ont explosé, inondé les rumeurs et les chuchotements, au plus profond de la vallée.

Je vis dans cette église ; je connais la pierre, ses courbes, ses angles, je connais le bruit du vent qui s'engouffre dans les artères sombres et siffle en montant. Je vis ici depuis presque quarante ans, mais je ne suis pas né ici. Je serai toujours un étranger. Je l'ai accepté : les familles du village se sont battues pour qu'il tienne, pour qu'il renaisse, encore et encore. Si loin des villes, des aventures faciles. Je suis arrivé après la victoire, prenant la place de mon prédécesseur. Je serai toujours un étranger ; pourtant, je suis la grande oreille du village, la bouche cousue sous l'œil de Dieu. Je connais Les Fontaines comme si j'y étais né. Je connais leur histoire, leurs blessures, leurs carrières de pierre. Je connais chacun de leurs habitants, chaque ancêtre de leurs habitants. Mais je suis un étranger. Le jour où je mourrai, quand bien même cette église aura été mon refuge, on m'enterrera loin d'ici, dans un cimetière de ville, et le village, lui, continuera d'exister.

Les Fontaines. Une pierre cassée au milieu d'un pays qui s'en fiche. Un morceau du monde qui dérive, porté par les vents et les orages. Une île au milieu d'une terre abrupte. Je connais les histoires de ce village, mais une seule, une seule, les rassemble toutes. Elle doit être entendue. L'histoire d'André, de son fils Benedict, de sa petite-fille Bérangère. Une famille de médecins. L'histoire de Maxime, de son fils Valère, et de ses vaches. Une famille de paysans. Et au milieu, une maison. Ou ce qu'il en reste.

Jadis, la demeure a accueilli des hommes, des femmes. Des vieillards et des enfants. Elle a tremblé avec eux. Aujourd'hui, il n'en reste que des pierres calcinées, les murs tiennent grâce à la poigne des montagnes qui les protègent du vent. Il y a eu là de la vie, des odeurs de viande grillée et d'herbe retournée, de longs repas et des draps propres qu'on rejette au pied du lit pour laisser la fraîcheur imbiber le matelas.

La maison a brûlé ; on ne voit plus ses anciens propriétaires descendre à flanc de colline, le dimanche, dans des habits clairs et des chaussures lacées.

Partis.

En dépit de la tempête, ils sont restés debout, laissant derrière eux la maison incendiée. Ils ont fui, jusqu'à ce que leur corps, puis leur silhouette, ne soient qu'un point flou à l'horizon, qu'on ne devine plus que dans la mémoire de ceux qui les ont connus. Et seul un homme qui n'a pas d'histoire peut raconter la leur.

Les Trois-Gueules

Les Trois-Gueules doivent leur nom à la forme des falaises au creux desquelles coule un torrent sombre. C'est un défilé de roche grise, haute et acérée, divisé en trois parties, en trois sommets successifs qui ressemblent à s'y méprendre à trois énormes canines.

À la fin de la Seconde Guerre mondiale, Charrier Frères, une entreprise d'extraction de minerai sur le point de faire faillite, avait migré vers l'intérieur des terres. Forteresse de falaises réputée infranchissable. La rivière filait entre ses rideaux calcaires, les curieux de passage s'arrêtaient pour admirer l'enchaînement des gorges naturelles qui évoquait une longue plaie mal fermée : le cours d'eau affleurait en amont, puis décrivait une courbe. Les Trois-Gueules n'attiraient que marcheurs et géologues, spécialistes des phénomènes extraordinaires : nulle part ailleurs, la falaise ne s'était laissé faire de la sorte. L'eau avait établi sa loi, s'enfonçait dans le premier défilé, rassasiée d'oiseaux morts ; le courant, souverain, avançait à l'ombre des narines encavées qu'il avait lui-même forées, et la pierre, d'excellente qualité, abondait.

À des centaines de kilomètres de là, les grands groupes miniers s'étaient approprié les carrières faciles d'accès et y avaient installé une main-d'œuvre bon marché. Par peur de tout perdre, certains exploitants, plus modestes, choisirent de s'allier à leur ravisseur ; quelques-uns, comme les frères Charrier, prirent le risque de partir explorer l'intérieur du pays. Ils n'étaient pas de taille face à ces géants industriels dont les moyens financiers dépassaient, de loin, ce qu'ils pouvaient proposer à des ouvriers peu qualifiés. Les frères Charrier s'enfoncèrent dans les coins trop éloignés des grandes villes, où les convois coûtaient cher, où les routes étaient quasi inexistantes ; là, la pierre irradiait de ses reflets gris la surface des torrents surmontés de plateaux verdoyants où broutaient les animaux des fermes alentour.

Au-dessus des Trois-Gueules, une dizaine de maisons éparpillées abritaient les paysans qui travaillaient cette terre, faite pour eux et par eux. Des bêtes dévalaient la pente et périssaient, prisonnières des griffes de calcaire ; on retrouvait leurs carcasses rongées par les vers. Les Trois-Gueules n'accueillaient d'animaux que les poissons, les serpents rampant sur les berges et sous la roche, les oiseaux piquant contre les remous. Vues d'en haut, elles semblaient accueillantes, on voulait y descendre, se rafraîchir à l'ombre des promontoires, naviguer à toute allure sur le cours d'eau. Mais les Trois-Gueules avaient pris plus de vies que les vagues des océans, que les marais trompeurs, plus d'enfants que n'importe quelle forêt magique, plus de femmes et d'époux que les routes des montagnes et les lignes droites des grandes plaines. Installés sur les plateaux, les paysans observaient le ciel s'en prendre à ces trois énormes puits de roche, les écrasant de chaleur, d'orages torrentiels, métamorphosant le cours d'eau en une lame capable de tout emporter sur son passage. Le ciel y mettait toute sa rage, toute sa force ; sa violence n'en rendait les Trois-Gueules que plus dangereuses, plus attirantes. Leurs mâchoires attrapaient des oiseaux, recrachaient des cadavres.

Lorsque les frères Charrier arrivèrent avec leurs ouvriers, les fermiers virent débarquer des types aux visages blancs de poussière, maigres et taiseux : ils s'enfoncèrent dans la roche, dans ces étangs secs, de pierre et de métal, qu'on entendait toute la journée claquer, exploser, s'effondrer. Le soir, les mêmes, encore plus blafards, remontaient les coteaux jusqu'au plateau où ils louaient des chambres aux paysans qui, après avoir vu d'un sale œil l'apparition des « fourmis blanches », y trouvèrent leur compte : ils les hébergeaient, leur vendaient leur nourriture. Ouvriers et paysans s'entendirent rapidement. Ils ne s'aimaient pas ; ils se supportaient. Avec le temps, les frères Charrier firent venir les familles de leurs bataillons, restaurèrent d'anciens corps d'exploitation pour les loger, jusqu'à ce que les ouvriers construisent leurs propres maisons, avec la pierre qu'ils avaient eux-mêmes extraite et qu'on leur vendait moins cher. Certains bâtirent des chalets à l'orée des bois, là où les étangs prodiguaient ce qu'il fallait de poisson et de gibier. Quand ils désertèrent les logis fournis par leur employeur, ce fut l'occasion pour la scierie des Manoirs, laissée à l'abandon, de reprendre du service. Les nouveaux arrivés louaient les chambres des fermiers, tandis que les chefs de chantier construisaient leurs pavillons ou leurs chalets, et plantaient des pieux de bois autour.

Les maisons ouvrières poussèrent comme des fleurs grises autour de la vieille église du village. On appelait cet enchevêtrement de rues « Les Fontaines ». Lorsqu'ils ouvrirent la carrière, les frères Charrier lui donnèrent le même nom : la carrière des Fontaines. Paysans et ouvriers ne faisaient plus qu'un, en théorie. Le village et la carrière portaient les mêmes initiales, ancestrales, lointain souvenir du siècle dernier, d'une époque où les guerres n'avaient pas vidé les campagnes des jeunes garçons.

Les Fontaines. En inaugurant leur premier lieu de forage, Les frères Charrier avaient ouvert bien plus qu'une carrière de pierre : le village entrait dans une ère nouvelle. Ils avaient échappé aux mains des grandes villes, de ces furies industrielles, et construit un foyer sur les ruines du précédent.

Les routes furent goudronnées, les fermes restaurées, les fermiers payés pour leurs efforts. Chaque matin, les fourmis blanches descendaient des plateaux jusqu'aux trous rocheux qu'elles perçaient, polissaient, chérissaient ; la pierre leur avait offert un lieu calme, aussi beau que dangereux, où les enfants grandissaient, chassaient, se baignaient, s'amusaient sur les monticules de poussière qui enfarinait leurs cheveux. La carrière des Fontaines fonctionnait bien, elle enrichissait la moitié du village. Paysans et ouvriers s'étaient rassemblés autour de l'église de l'ancien hameau ; sur la place, un bistrot faisait office de poste, d'épicerie et de restaurant. Le propriétaire avait agrandi la salle pour aménager un espace où boire, un pour manger, un où danser.

Peu à peu, les habitations se déployèrent jusqu'aux bois au nord des Fontaines ; en dix ans, les cent cinquante âmes que rassemblaient les Trois-Gueules s'étaient multipliées et on n'en comptait pas moins d'un millier, résidant toutes sur le plateau. La route montait de la carrière, traversait le village et filait en direction des bois : plus les familles s'agrandissaient, plus Les

Fontaines s'étendaient jusqu'à l'orée de la forêt. Les habitations entre le bourg et les bois reçurent le nom de Chalet-Haut : les masures n'étaient plus de pierre grise mais de planches brunes, sorties directement de la scierie. Le Chalet-Haut étirait le village, tel un bras de bois et de toits larges sur le point de repousser la forêt. Il avait fallu du temps, de l'énergie, beaucoup d'argent et beaucoup d'amour pour faire des Trois-Gueules un pays habitable.

Mais, aujourd'hui, peu de nouvelles familles s'y risquent. En ville, ils disent :

– C'est trop dangereux, il n'y a rien. L'hiver alors, vous imaginez l'hiver ?

La neige et la poussière sur les arbres, les étangs gelés, les routes impraticables, un seul médecin ; ils disent qu'on ne peut pas y grandir sans devenir fou, que les mariages consanguins ont enfanté des monstres qui se nourrissent de la pierre qu'ils taillent. Ils disent que des ouvriers sont ensevelis sous des tonnes de calcaire, que des fermiers ont succombé à des maladies qu'on soigne très bien en ville ; tout est soit trop pâle, soit trop sombre, les couleurs sont sales, malades, la craie recouvre tout. Quand la pluie vient, c'est comme une nappe ruisselante de miel et de graisse, rien ne peut la laver, à part le feu, peut-être. Il faudrait fermer la carrière. Il ne faudrait plus creuser la falaise ; un jour elle s'énervera, elle explosera. En ville, ils disent qu'ils ne croient pas aux légendes, mais ils connaissent tous quelqu'un qui, la nuit, a entendu les cris de ceux qui ont été broyés sous la pierre. Ils n'y sont jamais allés, mais ils savent qu'il y a des fantômes, qu'il ne faut pas tourmenter la falaise, des choses y sont cachées, il ne faut pas les déterrer, ces choses-là ; ces choses-là n'avaient blessé personne jusqu'à l'arrivée des frères Charrier.

Ils pensent qu'il ne faut pas aimer la vie pour vivre aux Trois-Gueules.

Un seul médecin

André avait vu mourir dix-huit enfants avant d'arriver aux Trois-Gueules. Le bâtiment qui abritait les orphelins s'était effondré sous ses yeux.

La guerre éclata au moment où le jeune médecin terminait son internat à Lyon. Dès ses premières années sur les bancs de l'université, André s'était promis de quitter cette ville. Sa ville natale. Il s'y sentait mal. À l'étroit. Il était pourtant né dans un de ces appartements agréables, sur le boulevard, mais l'odeur lui déplaisait. La fureur aussi. Les gens dans la rue ne parlaient pas, ils hurlaient. De chez eux, ses parents écoutaient la clameur avec indifférence. André avait grandi dans le silence. Dans le silence et en pleine ville. Il ne supportait pas les cris, les pleurs, les injures, et il était devenu médecin pour mettre un terme aux cris, aux pleurs, aux injures en prodiguant les soins nécessaires. André était un garçon au corps frêle mais tenace, un garçon rêveur et pourtant rigoureux. Il n'aimait pas s'habiller – il portait les mêmes vêtements qu'il achetait en triple exemplaire –, ni discuter avec des confrères ; il haïssait l'inutilité, le gâchis, et plus il avançait dans ses études, plus il s'éloignait du monde des hommes sains de corps, préférant celui des blessés, où chaque mot, chaque geste compte plus que n'importe quel discours.

En juin 1943, André fut envoyé à l'hôpital de Saint-Étienne : les locaux étaient vétustes, les infirmières inquiètes. Chaque jour, de jeunes Français cherchaient à échapper aux griffes allemandes ; ils se cachaient dans la chambre d'un membre de leur famille hospitalisé, revêtaient des vêtements de personnel soignant, munis de faux papiers qu'un gamin aurait reconnus. André se taisait, soignait méthodiquement les malades, répondait par des hochements de tête horizontaux aux militaires allemands qui venaient fouiller l'établissement. Il se déplaçait dans les orphelinats, les écoles, les usines, il soignait tout ce qu'il y avait à soigner, persuadé de pouvoir, à lui seul, remettre une ville sur pied, une ville qui manquait de nourriture, d'espoir, terrorisée par les rumeurs qui infiltraient le pays depuis la frontière. André soignait. Il était né pour ça. Et comme tout le monde, il voulait que cela cesse, ces bruits de bottes dans les couloirs, dans les rues, sur les trottoirs, il voulait voir des enfants heureux, des enfants dont les prénoms avaient été changés pour qu'ils ne soient pas envoyés là-bas, de l'autre côté. André soignait, et priait intérieurement.

Le grand jour vint, avec ses flammes et ses explosions : l'hôpital fut bombardé, de même que l'école où il avait l'habitude de se rendre. Un quart de la ville fut réduit en cendres. Le lendemain, on couvrit les cadavres de dix-huit enfants qu'André avait soignés, conseillés, choyés. Dix-huit morts sous des draps sales qui dessinaient leurs silhouettes, longues et maigres, tels des pieux renversés par les forces alliées.

André était resté pour les veillées funèbres, les enterrements rapides, les mères à consoler, puis il était rentré chez lui, dans la grande ville où l'on célébrait la Libération. Le nez enfoui dans son manteau de laine trop chaud, il revoyait ces draps bossus sur le trottoir explosé d'une ville bombardée par les Alliés, pour empêcher les Allemands d'acheminer leurs armes et leurs soldats en Normandie. André fit mine de se réjouir lorsqu'on décora l'université aux couleurs américaines ; les secrétaires baragouinaient trois mots d'anglais pour épater les étudiants, les jeunes filles paradaient dans les rues, bras dessus, bras dessous, pendant que des vieillards aux fenêtres, des mères de familles aux balcons et de très jeunes enfants sur le pas des portes attendaient patiemment que le drapeau ennemi brûle tout à fait sur les places principales. André avait toujours cru savoir ce que signifiait le prix d'une victoire ; il apprendrait, dorénavant, à vivre avec ses cadavres, comme on traîne en soi une douleur latente.

Les mois suivants, André s'installa chez un confrère surchargé de travail. On l'envoya sur les chantiers où, dix heures par jour, les ouvriers pelletaient du sable, des graviers, coulaient du béton, sans protection. Ce fut sur l'un de ces vaisseaux de construction qu'il apprit l'existence des Trois-Gueules. Le bruit courait que les conditions de travail dans les carrières étaient moins rudes : les ouvriers vivaient dans de vastes fermes, les loyers étaient peu chers et les patrons bienveillants. André crut qu'il s'agissait d'une rumeur que les ouvriers se racontaient, l'illusion d'un endroit moins dur, moins noir, où il y avait des rivières propres, des champs verts et des vaches grasses, un endroit où les bombes n'étaient pas tombées, où les enfants n'avaient pas été tués. Pourtant, un matin, alors qu'il venait faire sa visite, on lui annonça que deux ouvriers avaient quitté le chantier pour partir « là-bas » : les Trois-Gueules existaient bel et bien.

Bien sûr, la France avait été libérée : chants dans les rues, embrassades, soldats réjouis. Mais après son retour chez lui, dans la grande ville où il avait passé son enfance, son adolescence, essayant de se fondre dans la ferveur nationale, le jeune médecin n'avait pu effacer les visages des orphelins. André n'en parlait pas : il n'en voulait pas aux soldats, ni aux civils soulagés. Il gardait les enfants dans sa mémoire, comme des statues qu'on discerne dans un jardin, aux heures les plus profondes de la nuit.

La ville l'empêchait d'y voir clair : ses confrères soignaient des bourgeoises et des gamins enrhumés, s'aventuraient rarement dans les quartiers pauvres. André s'était rapidement éloigné de leurs cocktails, de leurs tables au restaurant, de leurs piscines en forme de haricot. Déjà, pendant la guerre, il avait perdu ses manies et acquis de lourds cernes sous ses yeux légèrement tombants. Cet air constamment fatigué et le sourire bienveillant qui l'accompagnait firent sa gloire aux Trois-Gueules, où il n'élevait jamais le ton avec les ouvriers réticents à l'idée d'être soignés par un homme aux mains lisses. Quand l'un d'eux, couvert de poussière de craie, lui reprochait d'être « trop propre pour être honnête », il répondait doucement :

– Je suis aussi couvert de poussière, mais celle que vous avez dans les yeux vous empêche de la voir.

Il avait appris à riposter avec les enfants de Saint-Étienne, qui posaient des milliers de questions, absurdes et sublimes, auxquelles il trouvait des réponses drôles et utiles. Le temps lui avait appris combien chaque patient, entre les mains d'un docteur, redevient un garçon de dix ans, sensible et effrayé. Les ouvriers avaient beau avoir des années d'expérience derrière eux, quand il s'agissait de leur corps nu devant un médecin, ils tremblaient un peu plus. Il savait les apaiser. Il était rapidement devenu indispensable. Seules trois personnes vouvoyaient les ouvriers aux Trois-Gueules : André et les frères Charrier. Les princes du village, les seigneurs de la montagne.

André quitta Lyon, dégoûté par ses collègues, et s'installa aux Fontaines, dans un cabinet situé près de l'église, qu'il fit ravaler par Charrier Frères. Pendant trois jours, cinq de ses ouvriers s'affairèrent au rez-de-chaussée.

Le parquet neuf sentait la sciure, les murs blancs répercutaient la lumière le long du couloir. Il installa des chaises en bois, son bureau fut placé au centre de la pièce principale. À l'étage, une chambre et un salon composaient son domaine privé : André dormait et mangeait peu, travaillait beaucoup, ne buvait pas. C'était un homme au teint mat, aux cheveux bruns très fins coiffés en arrière, coupés court mais pas ras, de façon à ce que le col de son manteau, l'hiver, couvre son cou sans les toucher. Les rides au coin des yeux, à la commissure des lèvres et au front trahissaient la fatigue accumulée qu'il disait ne pas ressentir. Les fourmis blanches lui confiaient leurs enfants, les femmes leur intimité, les hommes apportaient des bouteilles de vin qu'il refusait poliment. André participait aux fêtes dans la salle du Café, des jeunes filles l'invitaient à danser, il lui arrivait d'accepter. Il était souple, bien fait, calme et travailleur, les hommes n'étaient pas jaloux. On avait trop besoin de lui, de son oreille bienveillante, de ses mots rassurants, de sa blouse impeccable. Il ne lorgnait jamais la femme d'un autre. Il recevait bien sûr des mots, des fleurs, des cadeaux. Il ne répondait pas, il travaillait, s'occupait des autres, choyait ses dix-huit statues qu'il gardait à l'intérieur, dont les visages s'imprimaient la nuit sur les murs de sa chambre.

L'installation du docteur aux Fontaines avait changé l'existence des habitants : ils avaient moins peur, et ceux qui arrivaient de loin pour travailler semblaient moins soucieux ; un village avec un médecin à demeure est un endroit rassurant. Il déjeunait au Café, parfois tard, où on lui gardait toujours une belle assiette.

– Il y en a pour deux, là-dedans.

– C'est pour vous garder en forme, riait le serveur sous les yeux de son patron, qui, derrière la vitre, s'assurait que le docteur ne manquait de rien.

– Je ne suis jamais malade, jamais, répondait André, un léger sourire aux lèvres. Si vous me nourrissez de la sorte, je vais finir par exploser !

Le garçon faisait un pas en arrière, mais avant de s'en retourner au comptoir il lançait toujours :

– Il ne faut pas que les choses redeviennent comme avant, docteur.

André savait ce que cela signifiait. Quand il n'y avait personne pour prendre soin des paysans. Des ouvriers. Que les campagnes, désertées par les garçons, les hommes et ceux qui les soignaient, mouraient par manque de soins. Lorsque André s'était installé aux Fontaines, ce fut une bénédiction. « Il faut le garder en forme » ; sinon tout redeviendrait « comme avant », quand le hameau tombait en ruine, quand les routes ne portaient pas de nom, les voitures pas de plaques, les tombes pas de fleurs. Au village, on se demandait comment le médecin dépensait son argent, s'il le dépensait.

En vérité, il épargnait les trois quarts de ses revenus pour conquérir ce qu'il désirait comme un fou, un rêve accroché derrière les bois noirs et les étangs du Chalet-

Haut, là où, deux ans plus tôt, un fermier l'avait appelé parce que son fils ne se réveillait pas.

À cette époque, les chalets poussaient en bordure des étangs ; sur la route, les camions croulaient sous les planches. Un jour qu'André visitait un couple, un jeune homme en sueur, fort comme un bœuf, se présenta ; il avait couru depuis la colline, à trois kilomètres du village.

— Docteur, mon petit frère ne se réveille pas, souffla-t-il, les yeux brûlés par la poussière.

André posa sa main sur son bras, comme pour prendre son pouls, mais il serra fort.

— Calme-toi. Raconte-moi, ordonna-t-il.

Le jeune homme inspira, profondément, et hoqueta des phrases peu compréhensibles :

— Mon frère, il s'est couché hier et… Il s'est couché mais je… Ce matin… Il ne se réveille pas… Je l'ai secoué… Il s'est couché hier et…

— Ça suffit, le coupa André. Suis-moi.

Le médecin s'éloigna, suivi par le gaillard tremblant. Le garçon avait vingt ans, peut-être plus. Il portait un long pantalon rêche, une veste doublée en peau de mouton et semblait terrifié. Ses yeux suppliaient, et le médecin comprit ; l'enfant, son frère, était mort dans la nuit. André avait connu un cas semblable, une seule fois, au début, en ville, quand on l'expédiait là où personne ne se déplaçait. Un gamin de huit ans mort sur le canapé du salon dans un appartement de banlieue. Les parents apportaient des couvertures, le secouaient dans leurs bras tremblants, mais le petit corps, raide et froid, ressemblait à celui d'une marionnette taillée dans un bois pâle. Trois ans plus tard, ce frère aîné paniqué, encombré de ses muscles inutiles, était confronté à la même tragédie.

André ignorait que des paysans habitaient les coteaux derrière les Bois-Noirs.

Dans la voiture, le garçon dévorait ses phalanges. En sortant d'entre les bois, André vit ce qu'il n'avait jamais vu.

– C'est la maison de tes parents ? demanda-t-il.

Le jeune homme, surpris, acquiesça.

– Vous n'êtes jamais venu ?

– Jamais. Je m'en souviendrais, sinon.

Un léger sourire passa furtivement entre les larmes du grand frère.

André ralentit… puis reprit à vive allure, traversa un entrelacs de champs et de bosquets courts et feuillus, le regard arrimé à la maison de pierre, immense. Sur le seuil, les parents attendaient. La ferme, construite sur une esplanade naturelle, surplombait la vallée, tandis que les vaches ruminaient en contrebas. Il en fut blessé au cœur ; malgré le drame qui s'y déroulait, il sut que ce lieu était celui où il désirait vivre, dormir, vieillir. Il aiderait cette famille, il était chez eux, chez eux ! Il annoncerait que l'enfant était parti. Pourtant, dès que la voiture avait émergé des bois du Chalet-Haut, il s'était senti chez lui. Soit : il attendrait des années, des dizaines d'années peut-être, mais ce lieu sans nom, il l'espérait, il le désirait, plus fort que tout. Plus fort qu'une femme. Nul, aux Fontaines, n'avait jamais mentionné ou évoqué cet éden.

Dans la chambre, le visage de l'enfant ne respirait ni l'innocence, ni le repos. Le visage d'un mort. Le docteur André n'y voyait que les stigmates des forces qui nous dépassent ; la preuve qu'il n'était pas le sauveur que les Trois-Gueules attendaient. La famille accablée accepterait, malgré tout, l'imprévisible, l'incontrôlable, et pendant qu'en silence ils attendaient les pompes funèbres André songea à ce mystère, à ces forces qui ne frappent pas, mais emportent. Il rajouta une statue à celles qui peuplaient déjà sa mémoire. Encore un enfant. Il n'y était pour rien, les avions alliés n'y étaient pour rien, les parents n'y étaient pour rien. Le corps s'arrête, parfois. André se demandait si sa présence ne portait pas malheur aux enfants qui le côtoyaient. Il se disait qu'il n'en aurait jamais un à lui.

Deux ans plus tard, les parents vendirent la maison et s'installèrent de l'autre côté des Trois-Gueules, loin des étangs, des lieux de l'enfance. Ils avaient pleuré, supplié, mis des cierges à l'église et visité le père Rémi.

— Ce n'est pas votre faute, quelque chose s'est arrêté, répétait-il, vous ne devez plus chercher des raisons, sinon vous vous perdrez ; n'oubliez pas l'enfant mort, mais n'oubliez pas celui qui reste. Nos vies ont un terme, mais la vie persévère.

Rémi les reçut chaque semaine. Le père, surtout. Une carcasse de cent vingt kilos, des yeux clairs enfoncés dans une chair basanée, un nez énorme, écrasé. Quand le chef de famille arrivait, le prêtre voyait un taureau, naseaux fumants, chargeant son église.

— Mon père, aidez-moi. Pourquoi mon garçon est-il parti, pourquoi votre Seigneur nous l'a-t-il enlevé ?

Rémi le guidait jusqu'à l'autel et désignait la statue de la Vierge.

— C'est votre Seigneur, aussi. Votre fils, que j'ai vu tant de fois assis à l'endroit même où vous vous tenez aujourd'hui, est son enfant. Écoutez-moi : ce n'est pas votre faute, ni celle du Seigneur. Il est des forces que nous ne maîtrisons pas. Ces forces rugissent, d'autres fois elles s'éteignent, sans un bruit. Celles de votre garçon se sont apaisées. Votre fils a besoin de vous, le village est avec vous. Je comprends votre colère, mais elle ne vous ramènera pas votre petit. Il ne reviendra pas.

Pendant des mois, Rémi répéta les mêmes mots. Il crut que le père ne s'en remettrait pas. Puis le couple vendit la maison, emmena son troupeau de l'autre côté des Trois-Gueules, là où ils pourraient, ensemble, croire qu'une autre vie était possible, hantée par le fantôme de leur petit que les forces avaient emporté.

André attendit que la famille s'en aille. Il n'imaginait pas que l'on demeure dans un endroit pareil quand on y avait perdu un fils. Les lieux doivent être nettoyés du chagrin des autres, les lieux, eux aussi, doivent respirer. S'en remettre. Le jour où l'aîné l'avait conduit jusqu'à la chambre de son frère, l'odeur effroyable du cadavre infiltrait chaque pièce, chaque objet, chaque livre. Les plumes d'oie, le feu dans la cheminée et les fenêtres fermées n'y faisaient rien ; nulle chaleur ne le ramènerait. Mais, au-delà des larmes, des tremblements, au-delà du temps qui avait figé cet enfant, André sentit qu'il reviendrait un jour, malgré l'odeur et le poids morbides qui écrasaient cette maison. Dehors, la vie reprendrait son cours ; les fourmis blanches creuseraient la falaise, scieraient les arbres, dragueraient les étangs, travailleraient jusqu'à ce que ce malheur ne soit plus qu'une histoire qu'on raconterait le soir.

Les habitants des Fontaines étaient liés les uns aux autres. Ainsi s'était construit le village : les machines des frères Charrier avaient réveillé la falaise. Les ouvriers modelaient Les Fontaines à leur image, royaume gris et paisible s'élevant dans l'indifférence du grand monde.

Ils ne sentaient ni l'odeur de l'essence ni celle du goudron fondu, les enfants n'avaient pas peur, ils connaissaient les endroits à éviter, habitués à l'eau, à la falaise, aux oiseaux qui plongeaient dans ses mâchoires.

André ne mentionna jamais la propriété avant sa mise en vente ; le moment venu, il proposa une somme deux fois supérieure à celle qui était demandée. Les champs furent loués à des éleveurs. Des fourmis blanches creusèrent la façade, installèrent quatre fenêtres donnant directement sur les Trois-Gueules. Ils restaurèrent les toits, les plafonds et les sols. Trois menuisiers, un peintre, deux plombiers et deux jardiniers prirent le relais, suivirent à la lettre les indications du nouveau propriétaire. Ils installèrent des fleurs sur la terrasse, des plantes grimpantes jusqu'aux fenêtres du premier, protégées par des volets bleu marine. Au fond du jardin, ils construisirent un bassin pour l'eau de pluie. Dans la cuisine, un évier double, comme ceux des restaurants, une cuisinière et un réfrigérateur neufs qu'André comptait remplir des légumes qu'il ferait pousser. À l'étage, deux chambres furent transformées en bureau et salon de lecture. Dans la bibliothèque, les traités de médecine, les romans et les essais de philosophie s'imprégnèrent de l'odeur du bois. Sur le parquet récemment posé, il déroula deux tapis. Personne ne se serait douté qu'un enfant était mort là. Dans sa chambre, au bout du couloir, les fenêtres restaient continuellement ouvertes ; l'édredon gonflait sous la brise en fin d'après-midi. Sur la table de chevet des livres s'entassaient, une bouteille d'eau et un verre vide gisaient à côté d'une lampe des années vingt, dont le socle en faïence vert foncé cerclé de franges tranchait avec l'aspect monacal de la pièce : au crépuscule, sa lumière métamorphosait le lit en vaisseau fantôme. André y dormait peu et bien, le sommeil l'emportait loin de ses propres abîmes.

Il continua d'exercer au cabinet du village. André pensait y vivre à jamais, respecté de tous, prodiguant soins et conseils aux fourmis blanches éreintées par les immenses gueules de pierre, où, pour rien au monde, il ne serait descendu.

Il fut presque exaucé ; l'année suivante fut douce et tranquille. Les patients se succédaient, mais il n'y eut pas d'accident dans les carrières, pas d'enfant avalé par les Trois-Gueules, pas de voiture retournée contre la falaise. Il accompagna ses malades jusqu'à leur dernier souffle. À ses côtés, le père Rémi consolait les familles :

– Quelqu'un meurt quand un autre va bientôt naître.

André descendait chaque jour de sa Cabane, y remontait chaque soir, fier du travail accompli, persuadé de se trouver là où il devait être.

Dans son bonheur, le médecin oublia sa vie d'avant Les Fontaines. Il avait eu le temps, avant de s'installer loin de tout, de sortir en ville, de fumer dans des bars, enveloppé de brumes épaisses, d'odeurs âcres, de parfums forts. Lorsqu'il avait eu affaire à son premier cas de mort subite chez un jeune garçon qui semblait, selon ses proches, en pleine forme avant le drame, André se trouvait dans un appartement lugubre, vêtu d'un costume propre à rayures. On l'avait mené jusqu'à cette chambre, le plafond teinté par la lumière des lampadaires ressemblait à celui d'un conte. Pourtant, il avait senti cette odeur, la même qu'il retrouverait des années plus tard dans la chambre des Trois-Gueules. Un enfant mort. Sans raison. Ce jour-là, il avait filé dès l'arrivée du légiste avec trois camarades déjà bien éméchés, et après quelques verres, il s'était réveillé, à quatre heures du matin, dans les draps froissés d'une fille qu'il connaissait vaguement. Elle dormait, nue et chaude. Il s'était engouffré dans les bruits familiers d'une ville au réveil, la tête bourdonnante, le dos en compote, prêt à accepter l'offre que les frères Charrier lui avait faite.

Comment s'appelait-elle ?

Aucune importance. Il avait couché avec cette fille comme on boit un grand verre d'alcool fort après un moment difficile. Pour faire passer un mauvais goût. Pour oublier.

Quelques mois après son installation dans La Cabane, quand il revint des Fontaines, deux sacs de prunes dans les bras, il vit cette fille dont il ne se rappelait que la couleur des draps de sa chambre. Elle était passée dans sa vie, furtivement, sans bruit.

Il déposa les sacs sur l'herbe, monta les marches deux par deux, souple et enjoué. Il ne savait pas son nom. Elle était là, en robe et manteau, plantée devant lui comme un arbre mort. Elle ne souriait pas, mais ne semblait pas en colère, non, elle se trouvait tout simplement là, au bout du monde, comme si c'était la chose la plus naturelle.

– Tu as bonne mine, lâcha-t-elle, un peu gênée.

– C'est le bon air de la campagne, répondit André, cherchant son prénom sans parvenir à s'en souvenir.

Il s'avança et la serra dans ses bras. Elle était encore désirable ; pas belle, loin de là, mais tout à fait désirable. Ses vêtements étaient repassés, ses cheveux coiffés à la mode. André ne comprenait pas ce qu'elle fichait là mais il reconnut qu'elle y avait mis les formes. Il lui fit signe de le suivre dans la cuisine.

– Attends.

André sursauta, fit demi-tour sur ses chaussures crottées. De l'escalier extérieur, un bruit de pas rapides. Avant même de voir les boucles brunes jaillir au-dessus de la rambarde de protection, il sut pourquoi cette fille, des années après leur nuit désastreuse, avait fait le trajet, pourquoi ses habits étaient aussi propres, ses cheveux aussi parfaitement noués.

Sa vie d'avant Les Fontaines remontait à la surface, même s'il avait tout fait pour l'oublier.

L'enfant de la ville

Élise était née en centre-ville, dans ces appartements serrés, à la limite des maisons basses qui fleurissaient comme des plantes malades. Elle avait connu la guerre à travers des images, des articles ; chaque matin, elle s'était levée pour prendre le bus n° 56, où des messieurs stricts lisaient des journaux ouverts qui masquaient leur visage. Les gros titres annonçaient le nombre de morts, ces cadavres ne représentaient rien pour elle ; Élise était née silencieusement, elle avait grandi cachée dans les plis de sa ville, tel un insecte inoffensif. La guerre ? Ses camarades de classe chuchotaient que ce serait bientôt terminé.

Dès l'enfance, Élise avait défini le monde comme un agrégat d'objets qui la percutaient, et qu'elle contournait. Elle l'avait restreint naturellement à sa chambre, sa rue, son épicerie. La famille s'était figée dans cet appartement sobre et propre comme un cercueil, et Élise, malgré ses bons résultats à l'école, ne s'était jamais imaginé une vie en dehors de son périmètre habituel : sa ville. Elle était invisible, au centre d'un monde bruyant, plein d'odeurs, de voix qu'elle n'entendait pas mais qui la rassuraient. Le bus n° 56 la liait aux autres, et, lorsque la guerre prit fin, ce bus l'amena au secrétariat de l'université, où l'on cherchait une fille bien élevée et silencieuse qui sache obéir, taper à la machine, une fille sans chichis, rigoureuse et polie, une fille sage. Extrêmement sage. De celles à qui on n'ose pas parler, de peur qu'elles se brisent en morceaux.

Elle avait sagement tapé à la machine, sagement répondu aux questions des étudiants. Élise leur tendait les relevés de notes, diplômes, lettres de recommandation signées par les illustres professeurs qu'abritait l'université. Parfois, ils effleuraient sa main et souriaient, alors elle sentait, d'abord doucement, tièdement, la vibration monter en elle ; Élise avait été si sage, loin des garçons, des rues hors de sa propre rue, du monde hors de son propre monde, que la presque caresse de ces hommes l'excitait. Ces étudiants habitaient un univers différent du sien, où tout était propre et lisse. Les appartements immenses, les trottoirs nettoyés, les tapis aspirés chaque jour. Ces garçons représentaient tout ce qu'elle désirait. Une rue où vivre paisiblement, avec des enfants sages et des murs blancs, peut-être un animal – mais seulement dans le salon pour ne pas empester les autres pièces –, un mari travailleur, précis, sérieux, et beau avec ça. Élise gagnait peu d'argent ; ses parents vieillissaient, l'appartement qu'elle habitait sentait la cigarette que les voisins fumaient sans interruption sur le palier. Le soir, les cris des femmes quittées par leur amant résonnaient dans la rue, elle se promettait qu'elle ne serait jamais l'une d'elles, qu'elle serait la femme d'un homme fin et sérieux qui ne fumerait pas sur le palier ; avec lui elle aurait un enfant, un garçon certainement, qui, dès sa venue au monde, serait promis à un bel avenir. Élise n'était ni bête, ni timide ; simplement, elle ne désirait qu'une seule chose : que rien ne change. Elle avait tracé son avenir comme ces garçons avaient tracé le leur, leurs lignes se croisaient chaque jour.

– Papa, gazouilla le garçon en désignant sa mère du doigt.

Ce soir-là, pour son quatrième anniversaire, la bouche ourlée de chocolat, les yeux pétillants, Benedict rayonnait. L'enfant s'amusait sur le tapis du salon avec ses nouveaux jeux, mais, déjà, quelqu'un manquait. Il cherchait une présence, des gestes, d'autres bras que ceux de sa mère.

– Papa !

Un cri.

Élise ne redoutait pas qu'il pose la question, mais son air ahuri et joyeux la surprit : elle avait pensé qu'il pleurerait, qu'il taperait du pied contre les meubles. Mais non. Benedict sentait la présence de son père, quelque part, il comprenait, avec toute la douceur, toute la bonté dont il était empli, qu'il manquait quelqu'un.

Élise embrassa son fils.

– Il se pourrait bien que tu fêtes ton prochain anniversaire dans la maison de ton père, souffla-t-elle.

Benedict acquiesça, fatigué par sa journée de jeux, de cris et de courses à travers l'appartement.

Le moment était venu. Les Trois-Gueules attendaient la mère et son fils.

Il appelait son père pour la première fois. À l'école, dans la rue, Benedict restait calme, il chahutait si un autre gamin de son âge l'invitait à monter sur les sièges, mais il semblait heureux avec sa mère. Le week-end, ils se promenaient dans le parc, nourrissaient les canards, rencontraient des amis et, quand les finances le permettaient, ils allaient au cinéma, dévoraient du pop-corn chaud. Élise cherchait les moyens d'évoquer l'homme qui l'avait mise enceinte, l'homme qu'elle avait consolé, après une soirée dans un bar chic de la ville, où il s'était confié à propos d'un garçon mort dans l'après-midi. André était ivre, elle aussi. Elle s'était réveillée avec une gueule de bois extraordinaire, ses vêtements éparpillés par terre ; de l'autre côté du lit, seule la lumière du jour emplissait les draps. André avait disparu. Tant mieux, personne ne devrait être vu avec une mine pareille au réveil. Le lendemain, à l'université, Élise apprit qu'il était parti aux Trois-Gueules, cet endroit abominable, où Charrier Frères attendait un médecin. À ce moment-là, Élise n'imaginait pas qu'il s'installerait là-bas, et qu'un autre genre de fourmi grandirait en elle.

Quand son ventre commença à tendre les boutons de son gilet, quand ses hanches s'épaissirent, Élise sut qu'elle garderait cet enfant. Une fille sage ne fait pas « ce genre de choses » comme disaient ses collègues, « ce genre de choses c'est pour celles qui ne font pas attention, c'est pour les filles faciles, elles devraient avoir honte, d'ailleurs, ces filles-là. » Élise rougissait : d'ordinaire, elle ne succombait pas aussi rapidement, aussi facilement, mais il y avait eu quelque chose ce soir-là. André n'était pas un mauvais garçon. Elle l'avait consolé. Pas vraiment sagement.

– Un être meurt ici quand un autre naît là-bas, répétait-elle à ses amies du bureau, sceptiques.

Elle comprit à quel point les événements ne se préoccupaient pas des actes de naissance ou de décès. Élise n'était plus si jeune, elle travaillait au secrétariat de l'université en compagnie de dames plus âgées qui lui demandaient si elle voyait quelqu'un « de sérieux ». On la regardait avec pitié :

– Le temps passe, ma chère, il y a des rôles que nous ne pouvons jouer jusqu'à notre mort.

Benedict arriva. Son père était loin, il ne connaissait même pas son nom, André sauvait les vies des ouvriers dans les carrières. Benedict avait un père. Peu importe qu'il le couche le soir et l'embrasse le matin, peu importe qu'il voie ses premiers pas, sa première dent, qu'il entende ses premiers mots, elle serait là jusqu'à ce qu'il le demande, elle s'occuperait de ces formalités, elle lui donnerait l'amour dont il aurait besoin. Quand il réclamerait son père, elle le mènerait jusqu'à lui. Jusqu'aux Trois-Gueules. Dans les couloirs de l'université, on surnommait cet endroit « l'enfer blanc », on le disait peuplé de dégénérés, de femmes dérangées, l'« asile naturel de la ville ».

Quelle idée les frères Charrier avaient-ils eu d'ouvrir leur carrière à cet endroit ! Comment éduquer un enfant là-bas ? Avant la naissance de Benedict, Élise avait déjà pris sa décision : elle l'élèverait en ville, dans un endroit sûr. Tant pis pour les soirées, tant pis pour les beaux étudiants, pour les jeunes médecins, Benedict ne grandirait pas sans elle, il ne se sentirait jamais seul, il aurait quelqu'un à qui parler, quelqu'un contre qui pleurer, crier, quelqu'un avec qui rire, elle pourrait être sa mère et son père à la fois, elle lui apprendrait à être sage.

Jusqu'à ce qu'il comprenne, évidemment. En attendant, elle n'emmènerait pas son petit dans cet endroit maudit, elle attendrait le dernier moment.

« Papa. »

La route fut longue. Benedict n'avait jamais mis un pied en dehors de la ville, il ne connaissait de la campagne que les arbres du jardin public. Sur le siège avant, il piaffait dès qu'un oiseau planait, écarquillait les yeux quand sa mère ralentissait près d'un champ où ruminaient des troupeaux.

Ils ne croisaient personne. La route, de plus en plus serrée à mesure qu'ils plongeaient dans les lacets abrupts, menait aux plateaux des Trois-Gueules. Quand l'ombre des falaises couvrit la voiture et les enveloppa momentanément dans un brouillard épais, Benedict sursauta, ses mains agrippèrent son siège. La montagne poussait des avant-bras puissants qui semblaient sur le point d'écraser la voiture. Au loin, on entendait les cris des oiseaux cherchant, à la surface du torrent, des poissons à attraper. La lumière n'apparaissait que par intermittence, bien au-devant d'eux, et Élise comprit pourquoi les citadins n'emmenaient pas leurs familles de l'autre côté. Les Trois-Gueules formaient un long défilé courbé, et tandis qu'elle remontait la pente jusqu'au carrefour des carrières, elle imagina le nombre de voyageurs qui avaient péri entre ces murs naturels, pris dans l'orage, terrorisés par le sifflement des bourrasques piégées par les bras des falaises. Elle n'aurait jamais supporté l'entendre chaque soir.

Elle n'était pas de ceux qui vivent au gré des saisons, des caprices des saisons. L'hiver, elle détestait la neige sur les trottoirs, le givre sur les fenêtres, l'été, la chaleur tombait sur la ville ; elle restait à l'intérieur, à boire des litres d'eau trouble sortie de canalisations abîmées. L'automne, elle refusait de marcher sur les feuilles mortes par peur de glisser. Élise détestait que le temps prenne le dessus, les alertes placardées sur les murs de l'université quand une tempête déferlait sur la ville. Aux Trois-Gueules, les gens respectaient les saisons ; ils attendaient que les forces se calment pour sortir, ils menaient leurs animaux quand les champs étaient verts et le ciel dégagé, recueillaient l'eau de pluie, tronçonnaient les arbres déracinés. Ils s'entendaient avec le ciel comme on s'habitue à un ami peu recommandable. Tandis qu'elle refusait d'admettre que le père de son enfant aimait cet endroit, son fils, leur fils, trépignait d'impatience. La falaise le fascinait ; quand ils atteignirent l'autre côté, ils croisèrent deux ouvriers sur le bord de la route occupés à combler un nid-de-poule. Benedict pointa leurs têtes du doigt, et cria :

– Leurs cheveux sont tout blancs ! Tout blancs !

La voiture s'arracha des griffes des Trois-Gueules et la lumière inonda le pare-brise. Devant eux, les maisons blanches des Fontaines s'étendaient à l'horizon. En traversant la rue principale, Élise se sentit hors du temps, hors d'elle-même. Sur les trottoirs, des passants tenaient des enfants par la main, ils n'avaient pas l'air pire ou meilleur que ceux qu'elles croisaient en ville. Les femmes portaient les cheveux longs épinglés bas sur la nuque, moins sophistiqués que son chignon bouffant. Elle ne ressentit aucun regard curieux sur son passage. L'auvent du Café resplendissait au soleil et les habitués, assis sur des chaises en bois, n'avaient pas l'air si monstrueux. Au contraire. Dans un court moment d'égarement, Élise pensa qu'elle aurait aimé, à cet instant précis, prendre place à leur table.

Elle eut soudain la nostalgie d'un lieu qu'elle n'avait pas connu. La peur avait laissé place à un sentiment troublant de fatigue et de surprise. Ils quittèrent Les Fontaines et tournèrent à gauche en direction des Bois-Noirs. L'enfant semblait ravi du voyage. La lumière faisait des reflets clairs dans ses cheveux bouclés. Un instant, Élise l'imagina descendre cette même route à pied, plus âgé, avec d'autres. Était-ce un si mauvais endroit pour grandir ? En passant les premières masures à l'entrée des Bois-Noirs, elle comprit à quel point les étudiants et les médecins avaient fabriqué un monde fait d'étrangetés qui leur permettait de le tenir à distance. Les

Trois-Gueules, avec ce nom lourd, ces photographies d'ouvriers couverts de poussière apparaissaient comme le lieu idéal ; un fantasme de noirceur, de vices et de monstruosités où ils entreposaient leurs terreurs, ce qui tachait leur univers, leurs cabinets de consultation, leurs restaurants, leurs maîtresses bien habillées.

Ils aperçurent La Cabane.

Benedict était pétrifié : sa mère ne l'entendait plus commenter chaque nouvel oiseau à la surface de l'herbe. Son corps, tourné vers la demeure au bout du chemin, voulait s'allonger, grandir instantanément, tendu jusqu'aux fenêtres.

L'enfant n'avait jamais rien vu de tel ; La Cabane ressemblait à un palais, avec des pièces secrètes, des trappes et des couloirs cachés. Il n'avait plus seulement la sensation d'avoir quitté son pays, mais bel et bien le monde des humains, le monde de l'école, des passages piétons qu'il faut traverser en tenant la main. D'en bas, l'édifice paraissait somptueux, la pierre montait vers le ciel, jetait son ombre sur les champs devant les bois, elle imposait sa présence, blottie dans la montagne, à l'abri du vent, des regards extérieurs.

De la place, où jouer, courir, sauter, hurler sans qu'aucun voisin ne lui ordonne de se taire. Il y avait, dans ces hectares de terrain, ces kilomètres de paysages flamboyants, tout ce que la terre portait de beauté et d'étincelles.

Les mains sur le volant, Élise ne regardait plus son garçon. André vivait là. Des pièces immenses, des murs blancs. Une fois la première vague de frissons passée, il faudrait garder la tête froide, poser les bonnes questions, s'imposer à André. Pourtant, sur la route qui conduisait à ce château de pierre, Élise admirait le père de son enfant ; cette immense demeure, à ce moment précis, ressemblait à André, la maison était André, elle respirait sa puissance, au bout d'un monde qu'elle pensait hostile et qui, pourtant, l'accueillait à bras ouverts.

Quitter la ville

— Il suffit d'une fois, lança Élise tandis que Benedict s'engouffrait dans la cuisine.

André faillit demander *Tu en es bien sûre ?* ; mais se ravisa.

— Rentrons, je vais faire du thé.

Il chercha le petit du regard. Il admirait une collection de pierres étincelantes protégée par une vitrine dans le salon.

— Il s'appelle Benedict.

Un large sourire maquilla la gêne d'André.

— Tu as bien choisi, répondit-il en risquant un clin d'œil.

Elle sourit à son tour. Ils avaient l'air absurde, parents réunis sous un toit immense, liés par cet enfant.

— Benedict ? tenta André en s'approchant du garçon.

Il se retourna. De beaux yeux bruns, très larges, presque en amande.

— Est-ce que tu aimes… ah… comment appelle-t-on ça ?

Il fit mine de chercher un mot compliqué.

— Tu sais bien, ce gâteau avec du sucre… Rectangulaire…

— Des gaufres ! hurla Benedict, comme s'il venait de gagner une médaille.

– C'est ça ! Des gaufres.

Le gamin se rua dans la cuisine, grimpa sur une chaise, et attendit, tel un prince.

– Il faut qu'on parle, dit Élise d'une voix faible. Il faut prendre une décision.

André se souvint du réveil, son départ sans un bruit, sa promenade en ville, leur soirée. À présent, un autre enfant attendait sur sa chaise, bien vivant celui-là, plein de gestes maladroits. La Cabane pouvait accueillir au moins deux familles, elle contenait assez de vivres pour nourrir une armée, assez d'espace pour amuser une classe de gamins survoltés. Celui-là était le sien. Il avait ses pommettes, ses cheveux, son sang. Le sourire, les yeux venaient de sa mère. En grandissant, il deviendrait un adolescent mince, peut-être un adulte malingre, comme Élise, mais le reste, cette curiosité, cette façon de s'agripper aux barreaux des chaises, de s'animer devant les oiseaux, cette manière de dévorer son goûter, cet appétit de vivre appartenait à son père. André pensa aux statues, immobiles dans son jardin secret. Une grimace de douleur déforma furtivement son visage.

– Tu ne m'as rien dit, et tu avais certainement tes raisons, souffla-t-il, en saupoudrant les gaufres de sucre glace. (Aucune trace de colère, ou de déception dans sa voix.) Je sais combien c'est difficile pour toi de venir jusqu'ici. Tu as vu, ce n'est pas l'enfer.

– C'est vrai, répondit Élise, mal à l'aise. On dit des choses horribles à propos de cet endroit, mais tu as l'air de bien vivre.

– Mieux que ça !

La fatigue de la journée fit place à un sourire de petit garçon.

– Benedict veut te voir, dit-elle en se levant.

Elle se dirigea vers la cuisinière où la bouilloire fumait. Ses paupières tremblaient. Ils devaient prendre une décision. Maintenant.

André posa les yeux sur Benedict.

Combien de femmes, d'ouvriers et de vieillards avait-il soignés ici ? Des centaines ? Des milliers ? André ne voulait pas hésiter ; il avait la place, l'argent, l'envie de prendre soin de ce garçon. C'était le sien. Il aurait une grande chambre, avec une fenêtre ronde sur le jardin, un coffre à jouets, des placards remplis. Il mangerait dans une salle plus grande que l'appartement de sa mère, il se promènerait dans les bois, accompagne-rait son père au Café, au cabinet, il se ferait des amis à l'école, des amis de son âge avec qui il grandirait, avec qui il fumerait ses premières cigarettes. Il lirait des histoires dans de beaux ouvrages. Mais d'autres visages remplaçaient celui de son fils. Les statues. André avait peur. Pour Benedict. Il ne voulait pas d'un vingt et unième, et certainement pas que ce vingt et unième soit son propre fils.

— Est-ce que je t'ai parlé de la guerre ?

Élise soupira. Elle s'en souvenait. Il n'avait parlé que de ça.

— La guerre est finie, André.

Élise ne vivrait pas aux Trois-Gueules. Benedict demandait son père, elle n'avait pas le choix. Elle ne blâmait pas André ; elle reprochait aux Trois-Gueules d'être un endroit si étrange, si beau, si mystérieux qu'il retenait les hommes de sa vie comme une toile de pierre et de torrent, elle en voulait à la majesté de cette maison.

— Il y a tout pour lui, ici.

Le médecin se tourna vers la mère de son enfant. Il voyait son dos tendu contre la cuisinière. Ses mains sur l'anse de la bouilloire. Peut-être la chaleur lui permettait-elle de faire taire une douleur autre.

– Laisse-le ici cette semaine, et nous verrons.

Élise étouffa un rire nerveux. Comme si cela suffisait.

– Je ne peux pas faire les trajets.

L'agressivité pointait à travers les sanglots.

– Je m'en occuperai.

Bien sûr, André avait beaucoup d'argent, beaucoup d'espace, beaucoup d'admirateurs, aussi.

– C'est entendu, conclut-elle en reniflant dans sa manche.

Raide comme un fusil, elle avança jusqu'à Benedict et lui posa un baiser sur le front. Ses deux mains caressèrent longuement les cheveux bouclés.

– Tu vas rester ici quelque temps.

Benedict lâcha sa gaufre et leva les yeux.

– C'est vrai ? Je peux ?

Ce dernier coup d'épée acheva Élise. Bien sûr qu'il désirait rester. Qu'avait-elle imaginé ?

– Oui mon chéri, tu peux. Nous nous verrons samedi.

Puis elle l'embrassa vivement, comme s'ils se voyaient pour la dernière fois.

Tandis que, dans le rétroviseur, La Cabane devenait un point fixe de plus en plus lointain, elle sentit monter, du fond de ses entrailles, la colère de ceux qui sont déjà vaincus. Combien de temps avant que Benedict ne la supplie de venir vivre ici ? Quelques mois ? Quelques semaines ? La maison était propre, la terrasse balayée, l'escalier sécurisé. Benedict aurait tout ce qu'un enfant désire ; elle connaissait l'exigence et la bienveillance naturelle de son père, et priait pour que son fils développe les mêmes capacités. Il grandirait dans le luxe et le dépouillement, la sagesse et la virtuosité. Il connaîtrait le vertige et l'apaisement, l'orage et les nuits froides, il appréhenderait le monde comme un ensemble de forces qui se relaient, se fracassent les unes contre les autres. Élise et Benedict avaient passé quatre ans ensemble ; certes, les murs de l'appartement n'étaient pas tout à fait blancs ni les couloirs tout à fait larges, mais Benedict était sage et bien élevé. Dans les magasins, on lui disait toujours :

– Quel amour !

Elle acquiesçait, ravie. Benedict remplaçait André : elle n'avait pas près d'elle le père tant désiré, mais elle avait son fils. Maintenant qu'ils se retrouvaient, elle se sentait éjectée du monde qu'elle avait construit. Elle se détestait ; sa soi-disant sagesse, ses manies, sa peur l'avaient menée jusqu'à ce jour où, seule dans cette voiture idiote, elle se demandait quand est-ce qu'il lui faudrait laisser partir son garçon.

Cette semaine-là, André l'appela chaque soir. Benedict prenait le combiné et racontait, d'une voix joyeuse qu'elle ne lui connaissait pas, ses journées aux Fontaines :

– J'ai de la chance d'avoir ce papa.

Elle se mordait les lèvres ; déjà il lui échappait. André ne commettrait pas d'erreurs, ses gestes étaient précis, ses mots pesés. Tout ce qu'elle attendait depuis toujours se retournait contre elle. Cette insupportable perfection. Pendant cinq ans, elle s'était crue capable de l'effacer de leur vie et, maintenant que Benedict découvrait son père, il désirait sa présence. Il aimerait ses gestes, ses mots, il apprendrait, comme elle avait voulu que son fils apprenne, à devenir un homme juste et sérieux, un homme sage. Mais elle ne ferait pas partie du portrait de groupe, son appartement était plus petit, plus étroit que dans ses rêves, bientôt son fils bouderait ces murs, cette chambre, il pleurerait pour retrouver son père et Élise ne lui refuserait pas ce cadeau : un père sérieux, un père sage.

Le samedi suivant, André déposa Benedict devant l'escalier où Élise attendait, fébrile. Le petit bondit de la banquette arrière et s'enfonça dans ses jupes. Sa mère soupira, soulagée qu'il soit heureux de la retrouver, mais dès qu'elle l'eut embrassé, il cria joyeusement :

– Alors, on y retourne ? On y retourne ? Tu viens ?

Derrière lui, André esquissa un sourire.

– Nous verrons, Benedict. Rentre, il fait froid.

L'enfant embrassa son père qui le tint par les épaules comme pour lui donner du courage et disparut dans le couloir. Les lèvres pincées, Élise s'avança ; André était encore bel homme, un peu voûté, un peu ailleurs aussi. Il ne dégageait aucune haine, aucune rancœur.

– Merci de l'avoir ramené, souffla-t-elle.

– Nous avons passé une bonne semaine.

– Je n'en doute pas.

André fit un pas en arrière ; la portière de la voiture était restée ouverte.

– On peut s'arranger, Élise, dit-il sincèrement.

Élise appuyait ses deux mains contre son ventre, empêchant les larmes de monter. Elle promit de ramener Benedict dix jours plus tard aux Fontaines. André proposa de venir le chercher lui-même, ce qu'elle accepta de bon cœur. Lorsque la voiture disparut au coin de la rue, elle resta sur le perron le temps que ses tremblements cessent. Elle ne retournerait jamais aux Trois-Gueules.

Pendant six mois, Benedict passa une semaine sur deux aux Trois-Gueules. Peu à peu, ses yeux se teintèrent d'une mélancolie juvénile, douce et discrète, qu'Élise ignorait. Il ne parlait que des Fontaines, de la maison, il adorait « papa » et Élise serrait les dents, repoussait ses questions. Plus elle se murait dans son chagrin, moins Benedict supportait l'appartement. La ville puait, il aurait aimé voir des animaux. Et puis, il n'avait pas un seul ami. Il n'y côtoyait que sa mère. Aux Trois-Gueules, son père l'amenait au Café, il jouait sur la place avec les autres.

— Est-ce que je pourrais rester un peu plus longtemps, la prochaine fois ?

Chaque semaine il le demandait, et chaque semaine, Élise disait :

— Peut-être ; si tu es sage.

Elle lui avait appris à être « sage » ; il fut adorable.

Jusqu'au soir où, alors qu'elle sortait de sa chambre, après avoir éteint la lumière, elle entendit son fils sangloter. Elle se pétrifia sur le pas de la porte ; il pleurait très doucement, comme pour ne pas affliger sa mère. Elle se sentit si sale, si égoïste, devant cette chambre où son enfant souffrait pour qu'elle ne souffre pas, qu'elle téléphona à André sur-le-champ. Le moment était venu.

Si Élise discernait la beauté des Trois-Gueules, elle ne la comprenait pas. Elle ne supportait pas de ne pas la retenir en elle, comme André et Benedict. Ils s'abandonnaient entre ses pattes, ils aimaient la lumière, le ronronnement des carrières, l'ombre où les oiseaux jaillissaient comme des flèches au-dessus de la rivière.

Elle ne pouvait s'y résoudre : la ville, sa ville, l'appelait, elle avait besoin de ses odeurs, de ses clartés artificielles, de son électricité permanente. De ses bureaux, ses écoles, ses quincailleries, ses restaurants aux tabourets usés tournés contre les vitres où les serveurs inscrivaient à la craie le menu du jour. Elle sortit des Trois-Gueules comme on sort d'une longue gueule de bois ; fatiguée, rompue. Benedict adorerait vivre dans cet endroit.

Une nouvelle ère

La chambre de Benedict donnait sur la vallée ; sous le balcon, la terrasse avançait jusqu'au milieu du jardin. André aimait l'ordre, la propreté.

Son fils comprit vite qu'ils ne se supporteraient pas s'il laissait ses jeux en plan dans sa chambre, si ses vêtements sentaient mauvais ou s'il entrait sans se déchausser. Dès leurs premiers jours ensemble, André avait imposé ses règles : Benedict respecterait cette maison et la nature qui l'entourait. Les Trois-Gueules avaient enlevé nombre d'enfants à leurs parents : André croyait qu'en se soumettant au tempérament excessif de ces falaises son fils en serait protégé. Lorsqu'il faisait un caprice, pleurait pour partir en promenade alors que l'orage grondait au-dessus des carrières, son père le regardait fixement :

– Benedict, il ne faut pas tirer le diable par la queue, même s'il semble profondément endormi.

Ils apprirent à se connaître. André parlait en proverbes, en bons mots tirés de ses livres. Plus il dressait son fils, plus il mettait de la distance entre eux. Il ne criait pas ; quand Benedict osait désobéir, il l'attrapait par le bras, serrait la chair entre ses doigts et l'obligeait à le regarder droit dans les yeux. Au bout de quelques secondes, le fils demandait pardon, et son père, desserrant son étreinte, répondait toujours :

– On ne demande pas pardon, Benedict, on présente des excuses.

L'enfant retenait les leçons de son père, qui, hors de ces moments de confrontation, était un homme bon, d'une bienveillance et d'une patience infinie. Il inculqua à son fils qu'un homme juste n'est pas un homme bruyant, que la discrétion est mère de toutes les vertus.

– Les Fontaines sont un bel endroit où vivre, disait-il, cheminant aux côtés de Benedict qui buvait ses paroles, les gens ici ne parlent jamais inutilement.

Attentif, Benedict écoutait. Il ne comprenait pas tout, mais son père le rassurait en lui promettant qu'un jour ce serait « clair dans sa tête ». Qu'il lui donnait très tôt des clés pour ouvrir des portes encore trop lourdes à pousser pour lui.

Depuis l'ouverture du cabinet médical, de nouveaux arrivants avaient installé leurs magasins aux Fontaines. Deux fois par mois, un dentiste, hébergé dans les locaux du médecin, accueillait les patients sur un fauteuil en cuir. Quand les fourmis blanches s'installèrent hors des maisons louées par leurs employeurs, un notaire vint de la ville. Un jeune type, à l'air maussade, ouvrit son étude deux ans après sa première visite. Un comptable prit des parts dans sa société et installa son bureau dans la pièce voisine. Les fourmis blanches furent conseillées, leurs contrats relus, parfois réécrits, et pour la première fois depuis l'ouverture des carrières, les frères Charrier perdirent de leur superbe. Certains ouvriers furent embauchés en indépendants, pour de courtes périodes, et rénovèrent les masures écroulées hors du village. Les terres autour des Fontaines, abandonnées pendant des dizaines d'années, furent cultivées ; on envoya des stocks de nourriture de l'autre côté des falaises, où la banlieue urbaine s'étendait à trois heures de route des Trois-Gueules ; des palettes d'avoine, de choux et d'oignons partaient chaque semaine dans des camions bâchés qui descendaient la route en crachotant. Les Trois-Gueules exportèrent les denrées en supplément que les cultivateurs entreposaient dans des hangars.

L'école municipale accueillait les enfants nés ou élevés aux Fontaines. Clarence, le maire du village, en avait fait une priorité ; il veillait à ce que chacun sorte de cette école en sachant lire, écrire, compter. Il avait vu son propre père escroqué à cause des feuilles de paie qu'il ne savait déchiffrer. La prochaine génération de fourmis blanches devrait résister à ce que le monde extérieur amenait de fausses promesses et de nouveautés commerciales.

Déjà, certains adolescents qui étudiaient de l'autre côté des Trois-Gueules racontaient que des exportateurs étrangers cassaient les prix sur la pierre. Bientôt, le produit des carrières serait divisé par deux, les ouvriers devraient accepter de réduire leurs dépenses pour garder leurs emplois. Peu de jeunes adultes vivaient en ville, mais les quelques-uns qui faisaient l'aller-retour chaque semaine entre l'université et la maison familiale n'apportaient pas de bonnes nouvelles. Les Fontaines avaient ressuscité grâce au flair des frères Charrier, mais une autre ère commençait et ils devraient résister, se tenir les coudes, se nourrir de leur propre viande au lieu de la vendre à des prix exorbitants aux boucheries, de l'autre côté.

Avec l'école primaire, l'installation du notaire aux Fontaines et le projet de coopérative agricole, Clarence avait vu juste : il repoussait le moment fatidique où les jeunes devraient choisir entre partir pour de bon et rester.

Les adolescents n'avaient pas conscience de leur pouvoir sur le village, sur les champs, sur les routes, les carrières et les falaises, ils ne comprenaient pas encore que ce que leurs ancêtres avaient bâti s'écroulerait dans les dix prochaines années s'ils n'en prenaient pas soin, s'ils abandonnaient ces chemins, ces fermes, ces hangars, s'ils refusaient de mener les bêtes aux champs, de vendre le lait sur la place du marché à l'aube, quand la lumière se levait sur les mâchoires des falaises, surmontées d'oiseaux noirs aux ventres rebondis qui balayaient le ciel.

L'établissement des frères Charrier

L'établissement Charrier était la plus petite institution scolaire privée du pays, construit dans un ancien corps de ferme à trois kilomètres des Fontaines. Jusqu'alors, les adolescents traversaient les Trois-Gueules et se rendaient dans un établissement de banlieue, sans transports scolaires ni aménagements d'horaires. Les plus vaillants continuaient jusqu'au lycée, trouvaient une place dans un pensionnat où d'autres élèves comme eux, venus de loin, ruaient, enfermés dans des dortoirs sales, brimés par des professeurs débutants. Les pensionnats étaient les pires boîtes à voyous du pays : les gosses en ressortaient féroces et colériques, ils ne cherchaient qu'à trouver de petites niaises, à conduire des bolides rouillés.

Filles et garçons suivaient les mêmes règles, s'affrontaient sur les mêmes épreuves sportives, partageaient la même cour de récréation, qui, autrefois, accueillait les mangeoires des troupeaux. Le jour de l'inauguration, les frères Charrier, vieillissants, coupèrent ensemble le ruban bleu en travers de la grille ouverte. Malgré les doutes qui pesaient sur les carrières et l'arrivée des concurrents étrangers, les Trois-Gueules résisteraient jusqu'à ce que d'autres viennent de la ville, qui, selon les dires des voyageurs, devenait suffocante, tentaculaire. Ils s'installeraient ici, agrandiraient leur maison, leur famille et leur patrimoine dans le vrombissement du torrent, dans la fraîcheur des rochers. L'établissement Charrier se dressait au milieu de nulle part, baigné dans la lumière du soleil. Une idée simple. Une idée de génie.

Benedict étudia trois ans au collège Charrier. À l'école élémentaire, son instituteur conseilla à André de lui faire sauter une classe : l'enfant s'ennuyait. Ses excellents résultats, sa curiosité maligne et sa créativité ne trouvaient pas d'espace où se déployer, pas de camarades assez intelligents, de professeurs assez présents pour accueillir ses questions, ses doutes, ses expériences rocambolesques. Dès son installation définitive à La Cabane, Benedict avait tout fait pour attirer l'attention d'André, ce père à la fois distant et bienveillant, qu'il apprenait à connaître sans jamais le saisir. Il obtenait de bonnes notes en classe, rendait service au jardinier, il s'intéressait au métier de son père, le retrouvait dans son cabinet et feuilletait avec lui des manuels de médecine où chaque partie du corps humain était minutieusement décrite et analysée. Sa mémoire prodigieuse retenait les leçons. Rien ne semblait laborieux à cet enfant rondouillard – un peu trop au goût d'André – ayant toujours un train d'avance sur les garçons de son âge, ce qui, loin d'attirer les foudres, le rendait cependant solitaire. Tout paraissait facile, simple, dénué de mystère et de difficulté. À force de vouloir ressembler à son père, Benedict s'éloigna de ses camarades.

L'adolescence étira ses traits, ses muscles, son squelette, mais, contrairement à ceux qu'on envoyait au pensionnat, Benedict gardait intacte sa curiosité presque maladive et son besoin de bouger, d'arpenter les terres de son père comme s'il y était né. En ville, avec sa mère, ils sortaient au cinéma, au parc, ils empruntaient des livres à la bibliothèque, visitaient des amis de l'université, ils marchaient jusqu'à la fête foraine et mangeaient des cacahuètes dans des sachets gras. Benedict ne rechignait pas à retrouver l'appartement de son enfance, mais il ne s'y sentait pas bien. Trop à l'étroit, trop enfermé, il voulait être dehors, longer les vitrines des magasins, voir des matches en plein air, pique-niquer au jardin public. Élise, heureuse en sa compagnie, cédait à ses moindres désirs, ils marchaient côte à côte, commentaient les tenues des jeunes femmes et des vieillards assis sur les bancs, ils mangeaient aux tables des restaurants où Élise avait ses habitudes. Parfois, Benedict payait l'addition avec un billet que lui avait glissé son père.

— C'est papa qui régale, disait-il d'un air malicieux.

Élise cachait sa honte. À quarante ans passés, elle ne pouvait pas lui offrir un repas dans un établissement chic. Benedict posait l'argent sur la table, l'air indifférent, comme si le coût des steacks saignants n'avait aucune importance. Sa mère se murait dans son silence, dans sa haine d'elle-même ; le lendemain, elle retrouvait son bureau à l'université, elle regardait des hommes et des femmes traverser le hall. Ils ne la remarquaient plus. Pourtant elle n'avait pas mal vieilli. Elle portait toujours ses cheveux à la mode ; ses robes, bien qu'usées, tombaient parfaitement sur ses épaules droites et les ridules qui marquaient ses yeux embellissaient leur couleur plus qu'elles n'affaissaient son visage. Mais depuis la naissance de Benedict, le cours de son existence s'était immobilisé : elle vivait, travaillait, mangeait aux mêmes endroits, dînait avec les mêmes amies, flirtait avec les mêmes types, des hommes comme elle, un peu célibataires, un peu romantiques. Benedict aimait sa mère, mais il ne cherchait ni son approbation, ni ses conseils. Seul son père comptait : lui plaire, le rendre fier, le voir sourire. Il suivait ses recommandations à la lettre. Quand Élise lui proposait une autre voie, il balayait ses suggestions d'un geste simple mais sans appel. André était le centre de son monde.

Benedict entra au lycée Charrier avec les meilleures notes de sa classe. Pendant son temps libre, il travaillait au cabinet de son père comme « garçon de ménage ». En fin de dernière année, il assista André. Au lieu d'aller poursuivre ses études en ville, Benedict assura les arrières du médecin pendant un an ; il se présentait au cabinet, accueillait les patients, discutait avec eux, les amusait en racontant ses souvenirs d'enfance. Il accompagnait André dans ses visites, s'occupait des soins simples, des bandages, des ustensiles à stériliser, des ordonnances à remettre, des médicaments à porter aux familles les plus éloignées.

André n'avait pas prévu de prendre Benedict sous son aile. L'oisillon vint seul, attiré par les livres qu'ils avaient lus et relus dans son bureau, au premier étage de La Cabane. Il apaisait les angoisses des malades avant l'arrivée du médecin ; en quelques mots simples et directs, Benedict les touchait au plus profond d'eux-mêmes. Lorsqu'un patient entrait dans le cabinet, il entendait :

– Quel fils vous avez là, docteur !

Ces mots résonnaient en lui, son cœur vibrait, il reconnaissait dans ces compliments tout ce qu'il cherchait depuis qu'il vivait au creux des Trois-Gueules, il comprenait, enfin, le sens de son impétuosité, de sa curiosité, de ses envies furieuses d'être partout à la fois. Après sa première année comme garçon à tout faire, Benedict intégra la faculté de médecine ; il obtiendrait son diplôme et reviendrait vivre ici.

Le corps des femmes en ville

Benedict revint chez sa mère.

Sa chambre lui parut minuscule, son lit étroit. Il installa un bureau contre le mur, empila ses livres près du radiateur, à côté de la fenêtre qui donnait sur un immeuble de brique où frémissaient des fils à linge tordus.

Ses années de faculté furent mornes. Il étudiait, déjeunait avec sa mère, échangeait peu avec ses camarades qui moquaient Les Fontaines. Seule la perspective de son retour au village l'animait. Le week-end, il accompagnait Élise au parc ou au cinéma.

– Quand tu traverses le hall, je crois voir ton père, disait-elle. Tu lui ressembles vraiment.

Il la remerciait silencieusement ; plus les années passaient, plus il se sentait gauche, moins sûr de lui que ne l'était André au même âge. Il se l'imaginait comme l'homme qu'il avait toujours connu, avec les yeux d'un enfant de cinq ans. Depuis le jour des gaufres, son admiration n'avait fait que croître. Plus il l'aimait, d'un amour fasciné, épuisant, plus il se sentait faible. Inutile.

En ville, le corps des femmes était sans pli, sans épaisseur, sans force. Des corps citadins, parfois très maigres, parfois très lourds, usés par le manque d'air frais, de marche et de nourriture saine. Benedict n'approchait pas les jeunes femmes ; il avait toujours côtoyé des amies ou des patientes de son père. Aux Fontaines, les garçons connaissaient les familles bien avant de tomber amoureux des petites dernières. À l'université, les étudiants n'hésitaient pas à les aborder frontalement, moitié sérieux, moitié séducteurs, ils riaient fort, proposaient des rendez-vous, et Benedict ne comprenait pas comment cela fonctionnait, cette façon de sortir ensemble sans se connaître, cette façon de coucher ensemble sans se connaître. Il voulait rentrer aux Trois-Gueules, ce qui désespérait sa mère. À peine était-il revenu qu'il pensait déjà à partir.

Son père ne venait plus du tout en ville ; il prenait des nouvelles.

– Est-ce que tout avance comme tu le désires ? demandait-il, d'une voix modifiée par le grésillement du téléphone.

Pas l'ombre d'un doute dans ses intonations.

– Je crois que oui, répondait Benedict, l'œil rivé sur ses cours.

Pas un mot inutile. Pas une parole décorative. Ils avaient vécu ensemble et ils savaient comment s'y prendre.

Agnès traduisait les articles des manuels qu'empruntaient les étudiants quand elle remarqua Benedict pour la première fois.

Toujours pressé, ne sachant quoi faire de son corps, il passait en coup de vent à la bibliothèque où elle travaillait. La plupart des garçons l'avaient déjà invitée à sortir. Parfois, elle acceptait mais ne prolongeait pas la soirée au-delà du perron de sa résidence. Elle connaissait leurs méthodes, elle suivait le mouvement. Benedict ne participait pas à ces soirées et ça lui avait plu, avant même qu'ils ne s'adressent la parole. Il venait des Trois-Gueules, cet endroit affreux, « l'enfer sur terre ».

– Quel crétin voudrait vivre dans un asile de fous ? criait un étudiant en levant son verre pour qu'une serveuse le remplisse.

– Un asile à ciel ouvert ! braillait un autre, ivre mort, promis à un brillant avenir de chirurgien.

– Vous n'êtes jamais allés là-bas, leur répondait Agnès, le buste droit, le menton haut.

– Pas besoin, crachait celui qui agitait son verre, là-bas, les corbeaux volent sur le dos pour ne pas voir la misère.

Éclats de rire.

– Vous n'y êtes jamais allés, répétait-elle.

Inévitablement, elle finissait par quitter la table.

Benedict était un homme solide, pas vraiment beau, ni souple ni drôle, mais fin d'esprit. Il portait encore les stigmates de l'adolescence, son embonpoint s'était en partie volatilisé pour laisser place à un torse charpenté, couvert de vêtements sombres et bien repassés. Il suffisait de le voir traverser le hall de l'université, adresser un bref signe de tête à sa mère, pour comprendre qu'il n'était pas d'ici. Il souffrait, loin des siens, loin de sa terre. Agnès le ressentait.

Elle ne faisait pas partie de ces filles capables de se rendre malades d'amour. Elle avait grandi au moment où la vie muait : on disait, dans les journaux, à la télévision, dans la rue, qu'on pouvait, enfin, être libre. C'était un mois de mai particulier, les jeunes gens hurlaient que tout changeait. À commencer par la perception du corps : on l'affichait sous toutes ses coutures.

Pourtant, Agnès n'était pas non plus le genre de femme à se rendre malade de désir, à se rendre malade tout court. Le vent de liberté soufflait beaucoup trop fort pour des jeunes gens qui jusqu'ici n'avait connu que de calmes existences. Des vies très calmes. Des études très calmes. Des foyers où il ne fallait rien dire, rien montrer. Agnès avait grandi dans une banlieue sans histoires, puis elle était arrivée en ville où elle avait loué une chambre. Elle avait travaillé très tôt, comme font les gens qui savent ce qu'ils veulent. Une femme efficace, belle dans son génie, celui de savoir que tout n'est pas possible et qu'il faut apprendre à faire la part des choses. Sérieuse et extrêmement drôle à la fois. Contrairement à d'autres, Agnès n'était pas une créature. Elle ne fumait pas. Bien sûr, elle avait raccourci ses robes, ses jupes, flirté avec des hommes qu'elle n'aimait pas pour le plaisir et pour acquérir la conviction qu'elle pouvait plaire, qu'elle savait plaire. Cependant, son petit appartement ressemblait à sa maison familiale : calme, propre, bien rangé, le vent n'avait pas soufflé dessus. Pas plus que dans son bureau à l'université, où elle avait vu, pour la première fois, Benedict.

Agnès était superbe. Elle n'avait pas suivi le mouvement aussi naïvement que ses camarades. Après avoir couché avec quelques hommes, après avoir si naturellement ôté ses vêtements, et les leurs, le vent de liberté l'avait agacée. Doucement d'abord. Qu'est-ce que ça lui avait apporté ? Est-ce que cela avait un sens ? Non. La liberté n'a aucun sens. Agnès n'était plus une gamine, elle ne rêvait plus de liberté. Pendant son adolescence, elle aurait adoré y goûter, être emportée par lui, mais maintenant qu'elle se félicitait d'avoir grandi ce vent l'irritait. Elle n'était pas en colère, elle se sentait simplement dirigée vers un espace qui ne lui convenait pas.

Pas un endroit désagréable, sale ou douteux, mais un lieu où l'on s'ennuie, et Agnès refusait de s'ennuyer, elle avait quitté sa banlieue pour ne pas s'ennuyer. Et elle était tombée amoureuse de Benedict parce qu'elle avait su qu'il ne l'ennuierait jamais.

Benedict n'était pas très grand ; à ses côtés, Agnès paraissait immense, très fine, presque déséquilibrée, sur ses jambes habituées à marcher, à courir. Les premiers temps, quand elle était arrivée en ville, elle ne pensait qu'à faire l'amour, le désir la suivait partout, comme un animal domestique. Alors elle avait apaisé la faim, elle avait mordu d'autres peaux, dormi dans d'autres lits. Dans sa banlieue, elle avait cru que ce désir ne passerait jamais ; après quelques mois c'était devenu tellement banal qu'elle s'en était presque lassée. Le sexe ne l'avait pas déçue, simplement contentée. Comme on apprécie une glace en plein été, un chocolat chaud au coin du feu. Ça lui avait suffi. Puis d'autres choses prirent de l'importance : les amis, le travail, les restaurants, le parc, le cinéma, les flirts. Être séduite était sans doute plus agréable que de passer à l'acte.

Le jour de leur rencontre, Benedict fut poli sans être intrusif, il la regarda sans la dévisager, sourit sans se forcer, sans étirer sa bouche jusque sous ses oreilles comme les autres, tous ces autres, qui défilaient dès qu'elle s'installait à son bureau pour s'exercer sur les nuances et les variantes du passage d'une langue à l'autre. Elle s'occupait des phrases comme de grands blessés qu'il fallait remettre sur pied, soignait les erreurs, bandait les plaies, rétablissait l'équilibre, donnait du sens, redonnait du sens, à des expressions qui n'existaient pas ou plus.

— Vous êtes un chirurgien des livres, avait-il dit, tandis qu'elle lui expliquait ses dernières avancées.

– Une infirmière plutôt.

Agnès était gênée : d'habitude, on lui parlait de ses vêtements, de la couleur de ses yeux, de ses cheveux.

– Ne vous sous-estimez pas.

Ils se fréquentèrent quelques mois : Agnès attendait désespérément qu'il fasse un pas vers elle. Elle aimait leurs promenades, leurs conversations, les déjeuners hors de l'université, mais Benedict ne l'emmenait jamais chez lui, il la déposait devant sa porte après le cinéma, sans l'embrasser, la serrait contre lui comme si elle avait froid, comme s'il fallait la réchauffer, alors que c'était tout l'inverse : elle avait envie de lui, de ses bras sur sa taille nue, elle voulait que cet homme s'avance, enfin, au bord de son corps. Benedict l'attendait à la fin des cours, l'emmenait voir des oiseaux planer à la surface de l'étang artificiel au parc du centre-ville. Ça n'avait rien à voir avec les vols majestueux des Trois-Gueules. Benedict ne s'approchait pas. Une fois la nuit tombée, il rentrait travailler, elle rentrait se coucher.

Lorsqu'elle n'y tint plus et prit les devants, un soir qu'ils se serraient à l'arrière d'un taxi, Benedict ne parut pas surpris. Il lui rendit son baiser tendrement, enfonça ses doigts sous mon manteau, comme elle avait toujours souhaité qu'il le fasse. Ils firent l'amour chez elle. Au petit matin, Agnès lui demanda :

– Pourquoi est-ce que tu ne m'as pas embrassée plus tôt ?

L'oreiller striait les joues rondes de Benedict, dont les doigts pianotaient sur la poitrine d'Agnès.

– C'était à toi de décider.

Puis il l'enveloppa comme on tient un enfant fragile et enfouit ses lèvres dans son cou.

Benedict n'était pas le genre d'homme qui avait besoin de trébucher sur un tapis pour se faire remarquer.

Il avançait paisiblement sur un chemin qu'il croyait avoir lui-même tracé. Il n'était pas effrayé par la chair, le sang, les maladies inconnues. Seule la perspective de passer plus de temps que nécessaire loin de son père le chagrinait ; il retournerait aux Trois-Gueules. Sa vie se trouvait de l'autre côté, là où, de la ville, on ne voyait qu'une épaisse maille de brouillard percée par des rayons pâles et tremblants. Agnès n'y connaissait rien, elle tentait de ne pas penser à ce qu'on lui avait dit de cet endroit, mais, quand ils abordaient le sujet, quand Benedict voyait ses traits se durcir, il plantait son regard dans le sien, comme on fait avec un enfant qui va pleurer :

– Ce qu'on dit n'a rien à voir avec la réalité, prêchait-il d'une voix sévère.

Agnès voulait le croire. Elle l'avait défendu devant ses anciens camarades de promotion. Mais, bientôt, elle devrait choisir : le suivre aux Fontaines ou rester seule, en ville.

– Je n'ai pas peur.

Alors Benedict la serrait contre lui, certain d'avoir trouvé la perle rare.

Agnès lui fit confiance.

L'année des trente ans de Benedict, elle rendit la clé de son appartement, ils entassèrent trois valises à l'arrière de sa petite voiture, direction La Cabane, où vivait le père de Benedict.

– Mon père a soigné Les Fontaines. Littéralement, lâcha-t-il sur le chemin du retour.

– Tu les soigneras tout aussi bien.

– J'essaierai.

Il tremblait en conduisant. Agnès à ses côtés, il se sentait capable de tout. Elle comprenait son travail, ses horaires, elle ne lui en voulait pas quand il était morose, il ne la dérangeait pas quand elle avait des travaux difficiles à rendre.

Quand elle sortit de voiture, devant les marches, le regard d'André se posa sur elle comme une plume, légère et chatouilleuse. Agnès comprit l'admiration de Benedict pour son père : maître des lieux, maître de lui-même, grand protecteur des habitants, il assumait ses fonctions. Elle ne le connaissait pas, mais elle lui fit confiance immédiatement.

— Quand une femme de la ville vient vivre aux Fontaines, son amant doit l'épouser rapidement, dit André en riant.

Ils dégustèrent un rôti aux champignons, le vin coulait sans arrêt dans les verres, et Agnès, fatiguée mais tenace, tenait l'alcool.

— Je ne suis pas une femme de la ville, je suis une fille de la banlieue, répondit-elle, piquée au vif.

André abaissa les mains sur la table.

— Alors, je vous adoube, mon enfant.

Benedict regardait son père et Agnès sourire en même temps ; il sentit une pointe de jalousie gratter à l'intérieur quand il comprit qu'elle avait gagné le respect du médecin en quelques heures, alors qu'il n'était pas certain, en vingt-cinq ans d'existence à ses côtés, d'y avoir réussi.

Ils furent bien accueillis. Clarence emmena Agnès rencontrer les fermiers, lui indiqua les carrières, les chemins les plus sûrs. Il la présenta aux commerçants. Dès son arrivée, Benedict entra au cabinet et agrandit les lieux. Ils exercèrent ensemble ; André partait en tournée pendant que son fils gardait « la boutique ouverte ». Le soir, la chaleur s'évanouissait dans l'ombre et quand André terminait son service, épuisé, il s'asseyait à la place du chef. Ils dînaient tard, parlant joyeusement des derniers patients de la journée, sirotant des digestifs, à moitié endormis sur leurs chaises, bercés par le balancement des arbres. Agnès se félicitait d'avoir quitté la ville pour ce paradis. Son mari l'adorait, elle adorait son mari, ils se sentaient chez eux. Ses éditeurs ne voyaient pas d'inconvénient à ce qu'elle ait quitté la ville. Elle travaillait consciencieusement, rendait ses textes avant la date limite et n'agaçait plus le comptable avec des notes de frais astronomiques. Peu à peu, les anciens s'habituèrent à ses allées et venues, l'invitèrent à boire le café. En quelques mois, Agnès sut appeler chaque habitant par son prénom, demander des nouvelles des enfants, des petits-enfants. Benedict la félicita ; plus elle se sentait à l'aise aux Trois-Gueules, plus il l'admirait. Il avait trouvé une femme qui aimait vivre aux Fontaines, dans la maison de son beau-père, en compagnie d'un mari absent la journée et parfois une partie de la nuit. Ils finiraient leurs jours ensemble, à l'ombre des falaises.

Leur premier enfant naquit la veille de la fête des Fontaines. Ses cris emplirent la maison comme une volée de chauves-souris tournoie dans une caverne. André accoucha Agnès. Benedict, cette fois-ci, se trouvait de l'autre côté, de ceux qui patientent dans le couloir. Tout irait bien. Évidemment. C'était son premier bébé, *le premier d'une longue liste*, pensait-il. Quand André ouvrit la porte de la chambre, un léger sourire au coin des lèvres, Benedict se sentit défaillir : l'enfant était là.

Bérangère.

Ils avaient décidé du prénom. Bérangère pour une fille, Charles pour un garçon.

André paraissait ravi ; il ne manquait plus qu'Élise pour compléter le tableau.

Élise. La pauvre Élise. Elle avait amené Benedict à son père, vingt-six ans plus tôt, et il ne l'avait jamais quitté. Elle était la grand-mère de la ville, celle qu'on voit peu, deux ou trois fois par an. Petit à petit, on oublierait de l'appeler, de lui envoyer des cartes de vœux, des photos de l'enfant. Alors elle serait déçue, en colère, et ça n'aurait rien à voir avec leur amour. Les Trois-Gueules étaient à l'œuvre, enveloppant leurs habitants de brume et de chaleur. Ils oubliaient, doucement, comme on glisse dans un bain brûlant, ils oubliaient qu'il y avait un monde de l'autre côté, et qu'un jour ils avaient, eux aussi, fait partie de ce monde. Mais une fois passé les entrées des carrières où fumaient des fourmis blanches, une fois remonté jusqu'au plateau des Fontaines, cela n'avait plus d'importance. Tout changeait subitement, le temps se figeait, les lieux qu'ils avaient habités paraissaient si sombres, si étriqués. Les Trois-Gueules, secret bien gardé, secret gigantesque, écrasaient les vies d'avant.

La famille de Maxime

Clarence, le maire des Fontaines, avait un frère aîné, Maxime, qui vivait à la sortie du village. Fils de fourmis blanches, ils avaient connu ensemble les débuts des frères Charrier. Les deux garçons avaient été eux-mêmes embauchés, à dix-huit ans, pour charger des blocs de pierre. Clarence et Maxime habitèrent d'abord une maison d'ouvrier, jusqu'à ce que le premier se marie, et devienne un intermédiaire entre les nouveaux arrivants, les artisans et les ouvriers des Fontaines.

Après le départ de Clarence, Maxime dégota Delphine, une femme jolie et travailleuse, fille de paysans. Lorsque le père de Delphine mourut, le couple hérita de la ferme familiale, des dépendances, des champs, des bêtes. Maxime prit soin du patrimoine. Delphine savait quoi faire et comment : elle avait vu son père se lever aux aurores et rentrer la nuit s'écrouler sur un fauteuil dans la salle à manger, en face d'une antique cheminée. L'homme forçait le respect. Il s'occupait seul de la ferme, sa femme avait pris la tangente quand les premières fourmis blanches étaient arrivées. Il prenait soin des bêtes plus que de lui-même. Quand sa santé déclina, il ignora ses quintes de toux et redoubla d'efforts.

Un matin d'hiver, alors qu'il rejoignait son troupeau, il s'écroula sur le chemin qui menait à la grange, maugréant, incapable de se relever. Ses vaches ruèrent, défoncèrent les planches de l'étable. Lourdes, les mamelles pleines, les bêtes formèrent un cercle autour de leur protecteur, se rapprochèrent, leurs peaux épaisses lui tinrent chaud, leurs souffles brûlants enveloppèrent son corps malade. Elles meuglèrent, tandis que l'aube teintait les champs de sa traîne rouge sang. Lorsque Delphine les entendit, elle se précipita dehors : elle ne pouvait approcher son père, les vaches, leur cortège clos, l'empêchaient de passer, elles posèrent sur la jeune femme des yeux énormes et horrifiés et, meuglant de plus belle, la poussèrent hors de la ferme à la recherche d'André.

Le médecin arriva vingt minutes plus tard. Il se fraya un chemin et chuchota quelque chose à l'oreille du malade qui acquiesça lentement. Puis sa fille et André le portèrent dans sa chambre. Dehors, les vaches attendaient, devant la porte, silencieuses et inquiètes, qu'on vienne les traire et les mener à la grange.

– Son troupeau lui a sauvé la vie, conclut André en quittant la maison.

Le père de Delphine ne mourut pas ce jour-là. L'histoire fit le tour des Trois-Gueules ; la ferme devint un lieu sacré, les bêtes n'étaient plus embêtées par les gamins. L'endroit avait connu des jours meilleurs. Les chemins défoncés, jonchés de bouses, de branches et de feuilles mortes, menaient à des bâtiments auxquels il manquait des planches. Seule la maison principale se dressait, avec son toit plat et ses marches hautes, animal indestructible accueillant en son ventre de sages visiteurs.

Maxime redressa la grange, colmata la cour et les chemins, déblaya les dépendances. Ces arrangements amenèrent de nouveaux acheteurs ; Maxime et Delphine vendaient la viande, les céréales, les légumes et fruits que leur exploitation fournissait. Bientôt, ils engagèrent un commis trois jours par semaine.

Quand leur premier enfant vint au monde, Delphine ne prit aucun repos. Elle avait été habituée au travail quotidien : lorsqu'elle eut expulsé le bébé, et après trois grosses nuits de sommeil durant lesquelles son époux s'occupa du nourrisson, elle se remit au travail, accueillit les clients, s'occupa du potager et des animaux. Maxime ne cessa jamais d'admirer sa femme ; lorsque les trois autres garçons vinrent au monde, elle n'en fit pas « toute une histoire » comme disait Clarence. Elle les veillait, les consolait, les grondait, sans céder à leurs caprices. Les garçons comprirent rapidement qu'il n'y avait pas de place pour la paresse ; le soir, ils se retrouvaient autour d'une longue table, Delphine préparait des monceaux de pommes de terre, des marmites de ragoûts, nourrissait cinq bonhommes affamés. La cadence infernale du travail et la beauté des lieux façonnèrent les garçons comme elles avaient façonné le docteur André.

Les quatre enfants grandirent entre la ferme, l'école, et les carrières. Entre eux, ce fut la guerre très tôt pour départager le préféré des parents, le meilleur à la lutte, le plus grand, le plus musclé, le plus fort. Dans leur course à la gloire familiale, ils manquaient d'intelligence : l'adolescence les rendait susceptibles, colériques et violents.

L'aîné, Louis, n'était pas à proprement parler tyrannique, mais il exerçait son pouvoir sur les plus jeunes. Il travaillait vite et bien, draguait les filles sans gêne, même devant son père.

– Ce sont des choses de son âge, grommelait Maxime.

Louis partageait sa chambre avec le second, Aimé, un enfant très maigre, né plus tôt que prévu. Aimé portait mal son prénom ; des quatre, il était le plus sournois. Il détestait le bruit, les garçons turbulents et les courageux parce qu'ils représentaient tout ce qu'il n'était pas. Aimé et Louis avaient des cheveux très bruns, coupés court, des yeux vert foncé et des corps radicalement différents. Louis manquait de grâce, Aimé manquait de muscles.

Lorsque Valère, le troisième, vint au monde, ils évitèrent d'être seuls avec lui. Tenir un bébé les gênait. Valère grandit, il devint aussi long, aussi brun que ses frères, mais il gardait ses cheveux jusque sous les oreilles. Il retint instinctivement les meilleures qualités de ses aînés : il apprit, auprès de Louis et Maxime, à s'occuper de la ferme, des bêtes, du bois à couper, ranger, bâcher. Valère acquit la musculature de Louis et la discrétion d'Aimé. Aux Fontaines, on adorait celui qu'on surnommait « l'enfant de bronze ». Poli, peu chahuteur, il ne s'approchait pas des filles et racontait l'histoire de son grand-père, de ses vaches sacrées, d'une façon qui réunissait les clients du Café autour de lui. Plusieurs fois, son père proposa de lui couper les cheveux.

– Les crânes plats de mes frères ressemblent à ceux des bisons, lui dit-il, quand Maxime l'assit devant la glace de la salle de bains, une paire de ciseaux dans les mains.

Valère ne cognait pas ; jusqu'à ses douze ans, quand un des aînés le poussait à bout, il le laissait le battre, comme le font des frères entre eux, jusqu'au jour où, excédé, il passa une formidable dérouillée à Louis qui courut dans la cuisine rincer sa figure ensanglantée :

– Tu l'as cherché, lui dit sa mère.

Valère ne cogna plus jamais. Il aimait la ferme, les animaux, les repas qu'ils partageaient, la chambre et la fenêtre ouverte qui claquait dans la nuit quand le vent se levait, il ne rechignait pas à se lever tôt, les Trois-

Gueules étaient son monde. Il ignorait l'autre côté ; on parlait de grandes villes qui bientôt les atteindraient, d'universités, de bars gigantesques, de filles faciles, de gares, d'aéroports, de magasins toujours ouverts.

La ferme de Delphine et Maxime était un lieu de passage obligé. Il ne se passait pas une heure sans que quelqu'un frappe à la porte. Les Trois-Gueules étaient un lieu divin pour qui acceptait de ne pas avoir de secret.

Tout se savait. Absolument tout.

Au début, l'immensité des lieux protégeait les habitants des regards extérieurs. Néanmoins, si vous donniez un coup de pied dans un caillou au bord d'un chemin désert, quelqu'un demandait le lendemain matin :

– Alors, toujours en colère ?

Certains ne supportaient pas ce manque d'intimité, cette façon de tout savoir, de croire tout savoir. Il n'y avait pas de place, malgré les kilomètres de champs, de routes, de bois déserts et silencieux, il n'y avait pas de place où creuser pour enterrer ses trésors, pas d'endroit où pleurer sans que les sanglots inondent la vie des autres. Quand quelqu'un mourait dans les carrières, Les Fontaines tremblaient, ses habitants suppliaient cette terre qu'ils habitaient, qu'ils cultivaient, cette terre qui les nourrissait, et parfois, comme pour un échange invisible, leur prenait une femme, un mari, un enfant. Quand quelqu'un mourait avant l'âge où l'on trouve ça « normal », les habitants se regroupaient autour des tombes fraîchement creusées, murmuraient des phrases idiotes, des phrases utiles quand on ne sait pas quoi dire mais qu'on refuse de rester silencieux. Les Trois-Gueules prenaient leur dû ; les villageois priaient pour que les forces n'emportent pas ceux qu'ils aimaient, qu'elles soient clémentes et justes. Mais les forces s'en fichaient, elles avaient taillé cette lande grossièrement, l'avaient coloriée à la manière d'un enfant vicieux qui jette ses pinceaux sur une toile déchirée. Pour faire face, les habitants savaient où se trouvaient les gamins des uns, les adolescents des autres, ils s'inquiétaient pour les voisins, ils faisaient attention, parce qu'une menace sourde planait sur la vallée, sifflait entre les falaises, dévalait le ruisseau et s'installait à leur table. Les Trois-Gueules poussaient les enfants du bord des falaises, elles noyaient des vieillards, écrasaient des fourmis blanches, et les habitants n'y pouvaient rien ; le reste du temps, ce pays était l'antichambre du paradis. Ils acceptaient, malgré tout, le risque de s'y perdre, ou d'y perdre l'un des leurs.

La fille du médecin

Bérangère grandit en jouant sous la table où sa mère travaillait sur les publications qu'elle recevait au bureau de poste des Fontaines. La petite s'amusait avec des cubes qu'elle empilait jusqu'à ce qu'ils tombent sur ses chaussons. De son côté, impassible, Agnès entassait les feuillets raturés, sa fille entendait le sifflement des pages qu'on tourne. Quand la chaise raclait le parquet, il était l'heure de la promenade.

Pendant que Bérangère courait entre les plants de tomates, Agnès sirotait des tisanes, plantait ses yeux dans l'horizon, regardait, du côté de la coopérative agricole, les camions descendre jusqu'au village. Elle scrutait la ligne des arbres à la recherche d'un oiseau. Le lundi, après le départ de Benedict, elle emmaillotait sa fille, marchait trois ou quatre heures, afin de perdre ses kilos de « poule pondeuse ». Elle parlait de son corps de femme enceinte comme d'un vêtement inconfortable, honteux ; Agnès avait toujours été mince, athlétique, les vestiges de son ventre rond l'agressaient. Pendant des mois, elle s'évertua à quitter sa mue.

Agnès et Bérangère découvrirent les vallons, les collines, les accès aux Trois-Gueules. Elles arpentèrent le plateau au-dessus du torrent, s'enfoncèrent dans les bois, s'amusèrent à se faire peur, cachées derrière des troncs d'arbres énormes et secs, elles ouvrirent des sentiers là où les fermiers n'allaient plus. Parfois, elles descendaient jusqu'aux carrières, puis remontaient par le chemin des chèvres, un passage étroit et peu fréquenté, qui offrait une vue magnifique sur la rivière. Bérangère était une fille du dehors, elle détestait rester enfermée, débordait d'une énergie vivace, extrême, qui ne s'épuisait qu'en fin de journée, quand la nuit tombait. Elle hérita des cheveux bruns de son père, de ses boucles, et du visage de sa mère. Elle avait le même nez fin, les mêmes pommettes très légèrement marquées, qui se creuseraient en biseau une fois l'adolescence passée. Sa bouche s'étirait entre deux fossettes à peine perceptibles. Ses lèvres étaient pâles et fuselées, comme deux orvets séchés sur une pierre blanche. Les traits d'une femme de la ville, les habitudes d'une fille de la campagne ; elle n'avait peur de rien. En grandissant, elle échappa à la surveillance de sa mère, qui, confiante, laissait sa fille vaquer après l'école ; tant qu'elle rentrait à six heures, elle lui fichait la paix. Bérangère respectait les règles. Agnès se fichait des conseils des autres femmes, mères de plusieurs enfants, qui organisaient leurs journées en fonction de celles des petits. Et elle ne répondait pas quand on lui disait, sur un ton condescendant :

– Vous savez, quand vous en aurez un autre, ce sera différent.

Il n'y en eut pas d'autre.

La première était née sans encombre, il n'y avait aucune raison pour que tout s'arrête. Benedict avait toujours voulu une « tripotée de marmots » dans La Cabane, qu'il trouvait parfois triste et sombre. Surtout l'hiver. La nuit tombait vite, les fenêtres de la demeure ressemblaient à des yeux noirs qui attendaient le lever du jour pour se remplir à nouveau de lumière.

Rien à faire. Ils s'aimaient, ils s'adoraient, à s'en épuiser, mais aucun autre enfant n'arriva. Le ventre d'Agnès redevint plat, froissé par endroits. Bérangère grandit, épanouie entre l'école, Les Fontaines et La Cabane, profitant de son grand-père André qui cessa son activité quand une mauvaise chute lui fit comprendre qu'il n'avait plus l'âge de son fils. Il n'y aurait pas de petit frère, de petite sœur. Pas de cris dans les couloirs, dans les chambres, pas de longs goûters, pas de linge suspendu aux fenêtres. Pas d'autre enfant. Agnès restait digne, comme toujours.

– Un enfant viendra s'il doit venir, Benedict, souffla-t-elle un soir, quand elle sentit la mélancolie emporter, une fois de plus, son mari.

Pas de tremblements dans la voix. Aucune larme étouffée. Elle semblait sereine. Cette absence de grossesse passait sur elle comme une brise glacée mais rapide, elle ne frissonnait pas, elle ne pleurait pas. Elle était forte. Solide. Peut-être plus que lui.

– Bérangère est magnifique, continua-t-elle. Ce sera une femme bien.

– Tu ne voudrais pas qu'elle ait quelqu'un avec qui partager La Cabane ? demanda Benedict, étouffant des sanglots dont il avait honte, devant le port princier d'Agnès, appuyée contre ses oreillers.

– Tu ne sais pas ce qu'elle désire, dit-elle un peu sèchement. Ce que nous voulons pour elle n'a pas d'importance. C'est elle qui sait.

Elle repensa à cette première nuit, à ce matin où il avait soufflé « C'était à toi de décider » et elle se demanda si c'était ça, vieillir, abandonner ses principes, quand on endosse la responsabilité d'un enfant.

Ce soir-là, elle s'endormit en priant très fort pour qu'à l'avenir elle, la mère de Bérangère, laisse à sa fille, son unique fille, la possibilité, de « décider ».

Parfois, Agnès était ailleurs : quand elle comptait les oiseaux avec sa fille, la fièvre bouillonnait en elle, une envie qui montait de ses entrailles, qu'elle réfrénait, qu'elle domptait, mais qui restait là, immuable, comme une statue vivante qu'elle portait à la place de l'enfant tant désiré. Benedict s'étonnait de son calme, de sa sagesse. Les premiers temps, il n'avait pas su rester aussi digne. Plus ce ventre restait plat, plus il cherchait des réponses improbables à leur problème. Il fit des pieds et des mains pour comprendre avant de se résigner ; il n'y avait rien à dire, rien à chercher, rien à faire. Sinon aimer Agnès comme au premier jour, emmener Bérangère le dimanche au Café, la faire grimper sur le dos des juments. Persister à vivre dans cet étau de terre et de caillasse, d'herbe mouillée et de soleils harassants.

Dans son malheur, Benedict trouvait du réconfort dès qu'il descendait aux Fontaines. Depuis qu'André avait cessé de se rendre au cabinet, il se sentait plus fort, investi d'un pouvoir, d'une aura jusqu'ici détenue par son père. À vrai dire, il ne se passait pas une journée sans qu'on lui parle d'André ; Benedict acceptait de bon cœur. Seul au cabinet, on le respectait, on le consultait, ses conseils étaient suivis, on ne disait pas qu'il exer-çait « par-dessus la jambe », mais on ne disait pas non plus qu'il était indispensable. Qu'il l'entende ou pas, il faudrait un événement exceptionnel pour qu'enfin on l'appelle « docteur », et non plus « Benedict ».

Bérangère grandit sans petit frère. Ses amies en avaient quasiment toutes un à qui elles faisaient vivre l'enfer, en attendant que ce soit l'inverse. Bérangère haussait les épaules, elle n'avait pas besoin d'un être plus petit, plus fragile qu'elle dans ses pattes, elle s'en sortait très bien toute seule.

Un jour, à la fin de la classe, alors qu'elle traversait la cour, elle aperçut un garçon qui attendait sous le préau. Il devait avoir un an de plus qu'elle, Bérangère ne l'avait jamais vu. Pendant que les autres sortaient, il restait là, près des pneus entassés dans un coin, le regard fixé sur la salle, où les petits rangeaient les coussins sur lesquels ils s'étaient assis pendant une heure.

– Qu'est-ce que tu attends comme ça ? siffla Bérangère.

Le garçon ne fit pas attention au flot d'élèves qui envahit la cour. Le bruit ne l'atteignait pas. Quand Bérangère l'apostropha, il lui jeta un regard surpris.

– J'attends mon petit frère, répondit-il, avant de se concentrer de nouveau sur la porte d'en face.

Bérangère cherchait un bon mot pour se moquer, mais rien ne vint. Il se fichait d'elle. Une bulle invisible s'était formée entre eux, aucune plaisanterie n'aurait pu la percer.

– C'est lequel, ton frère ? tenta Bérangère en s'approchant.

Cette fois-ci, le garçon se tourna franchement vers elle, tendit la main et désigna une tête blonde derrière la vitre.

– Il s'appelle Antoine, dit-il. Je dois l'attendre, il n'est pas assez mature pour rentrer tout seul.

Bérangère dodelina de la tête en retenant un fou rire. Elle n'avait jamais entendu ce mot, « mature ».

– Qu'est-ce qui t'amuse ?

La bulle s'épaississait. Elle se sentit idiote et recula d'un pas, le buste légèrement en avant, comme en signe de paix.

– Qu'est-ce que ça veut dire, « mature » ?

Le garçon soupira.

– Ça veut dire qu'il n'est pas assez grand pour faire le trajet, il pourrait se perdre. Et mes frères ne veulent pas l'attendre.

Bérangère faillit rétorquer qu'ils avaient bien raison, mais elle se ravisa. Il ne semblait pas ennuyé à l'idée d'attendre, tout seul, un petit frère qui n'en finissait pas d'arriver.

– Je n'ai pas de petit frère, dit Bérangère, craignant qu'il ne se désintéresse tout à fait de son sort.

– Une sœur, alors ?

– Non plus.

Le garçon parut surpris. Ses yeux ronds faisaient comme deux trous verts au-dessus de son nez. Il s'avança vers Bérangère, qui, ravie, prit un air triomphant.

– Mais je ne m'ennuie pas ! Au contraire ! affirmat-elle, à nouveau maîtresse d'elle-même.

Le garçon la dévisagea, puis s'écria :

– Tu es la fille de Benedict ! Je t'ai vue avec le docteur, près de la coopérative.

Chaque fois qu'elle descendait de La Cabane avec son père et son grand-père, ils voyaient des fermiers et leurs commis à la coopérative. Jamais elle n'avait remarqué ce garçon parmi eux.

La porte de la salle de classe s'ouvrit. Une nouvelle vague d'enfants déferla dans la cour. Le garçon pointa du doigt son petit frère, qui courut jusqu'à lui.

– C'est Antoine, mon petit frère, dit-il. On y va maintenant.

– Moi je m'appelle Bérangère. Rentrez bien, les garçons.

Elle avait pris des airs de matrone en disant ces derniers mots. Le petit s'esclaffa. Son grand frère sourit.

– Je m'appelle Valère. À plus tard, conclut-il, traînant Antoine vers la sortie.

Ils disparurent au milieu du chahut, Bérangère attendit que les derniers élèves aient quitté la cour pour s'en aller.

Les autres fils de paysans se battaient constamment dans la cour à cause des querelles de leurs parents ; ils réglaient des problèmes qui ne les concernaient pas, enhardis par le cercle des élèves autour d'eux qui les poussait à s'écorcher, à se mordre, à s'étouffer. Valère, lui, attendait son petit frère, le tenait contre lui comme s'il était son père. Il parlait doucement. Sans baisser les yeux. Juste doucement. Naturellement. Ça ne le gênait pas de discuter, il n'angoissait pas à l'idée d'adresser la parole à quelqu'un qu'il ne connaissait pas. Le petit jeu de Bérangère n'avait pas fonctionné ; elle s'était retrouvée face à un être qu'elle ne pourrait pas terrasser de tout son caractère de petite fille, et ça lui plaisait. Elle ne se sentait ni déçue, ni triste, ni même en colère. Valère serait un bon ami. Et elle avait réussi à faire rire Antoine.

Deux jours après leur première rencontre, ils se retrouvèrent dans la cour, au même endroit, devant la salle de classe d'Antoine qui faisait le clown derrière la vitre pour amuser son frère. Bérangère raconta comment sa mère l'avait emmenée sur les chemins des Trois-Gueules le matin, Valère dit que ses frères ne voulaient pas s'occuper d'Antoine, qu'il dormait dans sa chambre par crainte des mauvaises farces de Louis et d'Aimé. Ils firent une partie du chemin ensemble et se séparèrent devant le cabinet où Bérangère rejoignit son père. Les semaines suivantes, même parade : elle le retrouvait dans la cour, sous le préau.

Un beau garçon

Valère entra au collège Charrier un an avant Bérangère. Pour elle, qui terminait son primaire, les saisons passèrent très lentement, mornes et froides. Son seul bonheur consistait à emmener Antoine jusqu'à la ferme de ses parents. Fébrile, elle attendait devant sa classe, il la reconnaissait et trépignait d'impatience. Ensemble, ils marchaient jusqu'à la ferme, Antoine racontait sa journée, les dernières disputes de ses frères, Bérangère demandait, l'air de rien, des nouvelles de Valère, s'il traînait avec de nouveaux amis au collège, s'il se promenait avec « une fille » à la fin des cours.

Pendant l'année, Valère fit de son mieux pour passer du temps avec sa jeune amie. Il lui offrait des animaux en bois qu'il avait taillés, déposait des boîtes de bonbons à son nom devant l'école. Bérangère, malgré la jalousie qui la secouait quand elle l'apercevait avec des garçons de son âge, ne montrait rien. Ils n'étaient pas du même monde. Elle n'aurait jamais à transpirer dans les champs, ses vêtements seraient toujours propres, elle ne se lèverait jamais avant l'aube. Contrairement aux élèves de sa classe, Valère ressentait, au plus profond de lui-même, que rien n'était acquis ; il fallait être là, en action, construire un empire fragile, perpétuer ce que ses parents, ses frères – malgré leurs bêtises – bâtissaient à mesure que le temps jouait contre eux. Delphine et Maxime se fatiguaient. Valère le voyait bien. Son père se couchait plus tôt. Sa mère, au lieu de prendre les kilos dont la vieillesse alourdissait le corps des femmes de son âge, maigrissait. Leurs quatre enfants se serraient les coudes. Quand le vieux couple mourrait, la ferme serait leur seul héritage. Cette certitude les tenait à bonne distance les uns des autres.

Bérangère entra au collège Charrier l'année suivante : enfin, elle retrouvait Valère.

Ils se voyaient dans la cour, s'attablaient ensemble à la cantine, fréquentaient le club de sport, rentraient chez eux côte à côte, travaillaient leurs devoirs. Après l'année d'ennui en primaire, retrouver Valère apparaissait comme la fin d'un long supplice. Son visage reprit ses couleurs habituelles, elle parlait de nouveau gaiement, courait plus qu'elle ne marchait, agaçait ses parents quand elle dépassait l'heure du soir ; pourtant, dès qu'elle se retrouvait nez à nez avec son père sur la terrasse, essoufflée mais triomphante, il pardonnait. Benedict la trouvait belle ; ses notes étaient bonnes, Valère l'apaisait. Le père de famille laissait sa fille papillonner dans son palais, les yeux clos sur le paysage avalé par les brumes nocturnes. Satisfait, Benedict s'était construit un univers sans relief. Sa vie était ici, il avait restreint la beauté à celle de La Cabane et des champs qui l'entouraient.

Pour Agnès, les choses étaient plus compliquées, elles ne se laissaient pas emprisonner aussi facilement. Elle imaginait le monde comme un cube dont les faces changeaient d'aspect, de couleur, d'opacité. Tout était question de perspective. Sa fille aurait le temps de se faire sa propre idée du monde. Quand elle repensait à l'appartement en ville, à l'université, à ses soirées dans les bars, elle portait son regard sur le beau parquet de la chambre, sur la bibliothèque, elle admirait le jardin depuis la fenêtre, se rappelait le courage qu'elle avait eu. Jamais elle n'aurait cru vivre ici, jamais elle n'aurait pensé s'y plaire. Et pourtant. Elle avait changé, elle aussi. Comme Les Fontaines, comme le cabinet du médecin, comme le visage d'André, son beau-père, qui s'affaissait avec le temps, elle avait changé et pour le mieux.

Peu à peu, les paroles douces, la tendresse un peu molle remplacèrent l'amour du début. Après toutes ces années à voir grandir son enfant, son adolescente qui serait bientôt une femme, Agnès se demandait si sa fille était, comme elle à son âge, tiraillée par ce désir de faire l'amour à tout prix. Bien sûr, « ça » arriverait avec Valère.

Agnès n'aimait pas moins Benedict, mais elle ne l'aimait pas mieux non plus. Souvent, quand elle levait les yeux, derrière la baie vitrée, sur les oiseaux qu'elle avait longtemps comptés avec sa fille, elle se surprenait à regretter le temps où le vent de liberté soufflait. Cette brise passagère qu'elle avait, bornée, ignorée parce que ça ne suffisait pas. Le plaisir n'était pas qu'une affaire de désir, de sexe ou de peau. Maintenant que le désir, le sexe et la peau manquaient, de nouveau elle se sentait comme une adolescente. Benedict, d'une tendresse absolue, était plus son ami que son amant.

Pourtant, elle n'aurait pas pu être aussi heureuse ailleurs. Les Trois-Gueules l'avaient adoptée, elle avait adopté les Trois-Gueules. Aucune force malveillante ne planait sur leur famille. Sur sa famille. Son mari travaillait beaucoup, André vieillissait à l'ombre des arbres qu'il taillait, sa fille triomphait à l'école, elle n'était pas encore insupportable et fréquentait un garçon – «charmant» lui avait-on dit –, un fils de paysan nommé Valère. Agnès ne l'avait jamais rencontré ; elle se réjouissait de leur amitié, qui se transformerait, au vu du rougeoiement qui, déjà, envahissait le visage de sa fille quand elle parlait de lui, en flirt, puis en histoire d'amour bien avant que Bérangère ne le comprenne. Ces deux-là s'aimeraient de toutes les manières possibles.

Sa fille devrait choisir.

Comme elle. Choisir qui aimer, où travailler, où vivre. Quelles erreurs commettre. Dès qu'elle imaginait l'avenir de Bérangère, Agnès se rendait compte qu'elle avait grandi vite. Elle serait bientôt femme ; dans un village perdu au fin fond du pays, où rien ne l'attendait, sinon ses parents, sa maison, et un gentil garçon né aux queues des vaches. Bérangère devrait décider. Inquiète, Agnès anticipait les réactions de sa fille, des images de son adolescence revenaient, comme une marée imprévue, elle se sentait défaillir sous le poids, la vitesse du temps qui passe. Agnès avait oublié ce que signifiait choisir. Pour elle, cela avait été facile. Les bons choix. Sans faux pas, sans caprice, sans délire. Tout lui avait paru si simple, si net, dans son bureau, face à Benedict. Son monde tel qu'il était aujourd'hui, cette grande maison, cette fillette qui n'en était déjà plus une, ces deux hommes qui vieillissaient à leur rythme, sous le même toit, avec la même envie de garder intact ce palais, cette famille, cette douceur qu'ils avaient créée, toutes les pièces s'assemblaient en un puzzle magistralement construit.

Lorsque Bérangère entama sa troisième année au collège, Agnès se rendit plus fréquemment en ville. Ses employeurs avaient changé ; ils travaillaient sur des projets qui « rapportaient deux fois plus » que la recherche universitaire. L'éditeur vendit ses parts à son associé, spécialiste des romans populaires qu'il dénichait et vendait à l'étranger. Il se fit un nom en publiant deux gros coups commerciaux qui le propulsèrent en tête des « hommes d'affaires qui comptent ». De l'autre côté de la frontière, les chasseurs de livres ne juraient que par ses méthodes. Lorsqu'il prit les rênes de la maison, financièrement fragile, il proposa à Agnès de travailler sur des projets différents. Il faudrait s'adapter, discuter en équipe, revoir ses exigences.

— Tout le monde ne peut pas vivre tranquillement dans un bungalow de luxe au fin fond du pays et envoyer ses copies quand ça lui chante, siffla-t-il lors de leur première réunion.

Elle accepta. Les honoraires de Benedict suffisaient amplement à subvenir aux besoins de la famille, mais elle ne supportait pas de ne pas travailler. Agnès refusait de se retrouver seule, plantée sur la terrasse comme une vieille chaise. Hors de question. Pourtant, au fond d'elle, une autre voix la poussait hors des murs. Lorsqu'elle se plongeait dans les documents qu'on lui envoyait, elle sortait momentanément des Fontaines, elle voyageait par-delà le torrent, les carrières. Benedict et son père étaient des hommes fabuleux, des gens doux et honnêtes qui protégeaient leur famille, il ne leur venait pas à l'idée de sortir d'ici ; descendre dans les Trois-Gueules, passer de l'autre côté, et rouler loin, longtemps. Ils ne voulaient pas voyager. Mais elle, avec ces livres qu'elle recevait, ces histoires, ces découvertes, ces paysages qu'elle décrivait, elle faisait trois fois le tour de la terre, assise sur sa chaise, devant sa grande table de bois, elle bourlinguait à toute vitesse, son esprit affûté formait des souvenirs de lieux où elle n'irait jamais, et parfois, la nuit, quand le sommeil ne venait pas, Agnès était prise d'une nostalgie terrible, la nostalgie des lieux qu'elle n'avait pas connus. Quand elle abordait le sujet, Benedict ne lui laissait pas le temps de finir sa phrase :

– Cet endroit, c'est le paradis.

Agnès se repliait un peu plus en elle-même, et, d'une voix moins douce qu'avant, répondait :

– Oui, mais on s'ennuie vite, au paradis.

Avec le temps, elle dériva dans ses textes. Pour rien au monde, elle n'aurait laissé filer ces moments de grâce, où, solitaire, elle déambulait de livre en livre, visualisait les hommes et les femmes dont parlaient les anthropologues célèbres, les tribus lointaines, les villes énormes et carnassières, les déserts, les forêts inondées. Les images déferlaient en elle, sans qu'elle tente d'échapper à la noyade. Agnès aimait les Trois-Gueules ; mais elle aurait voulu pouvoir s'en échapper, et mieux y revenir.

Une fois par semaine, on la demandait en ville.

Au début, Agnès fit l'aller-retour dans la journée. Quand les demandes devinrent trop importantes, elle prit une chambre à deux pas du bureau et rentra le lendemain dans l'après-midi. Elle rapportait des cadeaux, des vêtements, des chaussures neuves à sa fille, des cravates, des vestes, des chaussettes à Benedict. Chaque semaine, André dressait une liste de revues qu'il lui réclamait. Agnès devint un intermédiaire utile pour le vieillard qui peinait à sortir de La Cabane. Sa peau tombait, ses yeux s'affaissaient, il marchait lentement. André gardait sa bonne humeur, sa bienveillance intacte, mais il se fatiguait vite, s'endormait n'importe où. La fin approchait : il apprendrait à partir, comme cet enfant, presque cinquante ans plus tôt, avait laissé le vide l'engloutir dans les draps du premier étage. Agnès répondait à toutes ses sollicitations. Ravi de ces petites attentions, il empilait les journaux près du fauteuil dans le salon, passait des journées entières à lire, les pieds emmitouflés dans d'épaisses chaussettes en laine. Quand elle quittait la maison pour une nuit, Benedict attendait le lendemain, tel un chien affamé, son retour. Le nouveau travail d'Agnès renforçait son désir pour elle. Une nuit semblait un mois, il avait l'impression de l'aimer aussi fort qu'au premier jour, que son absence le remplissait d'un désir nouveau, lavé du quotidien, des gestes habituels, des paroles inutiles. De son côté, quand elle rentrait, Agnès se parait comme pour un premier rendez-vous. Son mari lui manquait. Elle était amoureuse, peut-être pas comme le sont les adolescentes, mais elle demandait ses mains sur elle, son souffle tout près, tout chaud. Ces deux jours par semaine loin des Fontaines ravivèrent leur désir ; les nuits de retrouvailles, ils dormaient peu, s'enlaçaient naturellement, comme les racines d'un même arbre. Bérangère y trouvait son compte ; les soirs où sa mère n'était pas là, elle se couchait plus tard. Avec son père, ils discutaient sur la terrasse après la tombée de la nuit, ils dînaient parfois au Café où ils se moquaient des vieux devant l'église qui attendaient une apparition divine en levant les mains au ciel. Bérangère engloutissait des steaks au poivre, son père buvait du vin rouge. Ils s'habituèrent aux absences d'Agnès, à ses retours en grande pompe, à ses nouveaux habits, ses anecdotes, les repas furent de nouveau animés. Bérangère voulait tout connaître de la ville sans s'y rendre, elle écoutait sa mère lui raconter ses histoires comme on écoute un conte de cape et d'épée.

Ce n'était pas réel. Pas encore.

Les enfants qui s'aiment

Valère n'était pas certain de poursuivre ses études. La ferme l'attendait. Ses deux frères aînés resteraient sur place, mais, malgré leurs efforts, Valère doutait de leurs capacités à gérer un tel endroit. Ils avaient trop d'affection pour ces pièces sombres, ils n'acceptaient pas que des étrangers mangent à leur table, couchent dans leurs draps, traversent leur cour, caressent leurs animaux. Maxime et Delphine vieillissaient, il faudrait les remplacer, être doux, bienveillant, accueillant, s'occuper des chambres pour les ouvriers, des voyageurs de passage, être à la fois rigoureux et compréhensif avec les commis. Les parents avaient tout mis en place pour l'avenir de leurs quatre enfants. Cependant, les choses changeaient aux Trois-Gueules.

Benedict avait agrandi son cabinet, André se montrait rarement au Café, les frères Charrier peinaient à trouver l'argent pour consolider les bâtiments du lycée. Les fourmis blanches se plaignaient, les heures supplémentaires étaient moins bien payées qu'avant, on parlait de la fermeture prochaine d'une des carrières, mais les entrepreneurs restaient muets. Ils avaient dit qu'ils tiendraient. Ils trouveraient une solution.

Valère était encore un adolescent, mais son corps ressemblait à celui d'un adulte habitué aux travaux quotidiens, aux longues marches, toute son attention se portait sur son petit frère et ses parents, il tiendrait, coûte que coûte. Bérangère, elle, avait de l'argent avant même d'avoir travaillé. Son patrimoine familial, quoi qu'il arrive aux Fontaines, lui assurait un avenir radieux, elle ne connaîtrait jamais la faim, le froid. Elle était bien née. Lui, il n'avait que la ferme. À partager en quatre. Antoine pourrait travailler avec lui, mais Louis et Aimé, une fois leurs parents disparus, poseraient un problème. Ils ne se contenaient pas, se comportaient comme des animaux traqués incapables de guérir de blessures qu'eux seuls avaient ouvertes. Un jour ou l'autre, Valère affronterait ses frères. *Le plus tard possible*, pensait-il, *le plus tard possible*.

Et puis, il y avait Bérangère. Elle était drôle, intelligente. Elle avait un front large, une bouche et des cheveux fins. Ils s'étaient rencontrés sous un préau et, depuis, ils ne se quittaient plus. Valère n'imaginait pas sa vie sans elle ; il était tombé amoureux très vite, de sa façon d'être à l'aise avec n'importe qui, de cette manière de traverser la rue, de dire bonjour, très naturellement, parce qu'elle était la fille de Benedict et la petite-fille d'André. On avait respecté, béni Bérangère avant même qu'elle vienne au monde. La vie continuait, elle persistait. Malgré les forces qui planaient au-dessus des Trois-Gueules, malgré les cris gutturaux des oiseaux qui jaillissaient du torrent, les femmes accouchaient d'enfants robustes, et Bérangère, cette fille du pays, qui n'avait rien vu d'autre que la plaine devant la terrasse de son immense Cabane, Bérangère était tout ce que Les Fontaines attendaient qu'elle soit. Elle vivrait ici, prendrait soin des autres. Le sang dans ses muscles était un sang pur, un sang guerrier. Elle possédait la beauté discrète mais certaine de sa mère, son élégance aussi, et l'énergie utile de son grand-père. Elle lui ressemblait, quand elle descendait la grand-rue, dans sa façon de saluer les habitués. Une nonchalance respectueuse, comme si tout cela, toute cette vie autour d'un gouffre de pierre où mouraient des enfants, des animaux, des hommes imprudents était parfaitement naturel et nécessaire. Valère était tombé amoureux de sa capacité à trouver sa place, à l'occuper pleinement. Elle était différente, si sûre d'elle, de son pouvoir sur Les Fontaines, de sa famille. Valère voulait faire partie de ce monde, côtoyer Benedict et André, faire la connaissance d'Agnès, comprendre comment ils avaient manœuvré pour qu'elle soit si belle, si douce. Bérangère savait exactement où elle allait, et comment elle y allait. Peut-être était-ce là le privilège des filles bien nées, il n'en savait rien, elle était la première qu'il rencontrait, et certainement la seule des Trois-Gueules. Ni insolente, ni gâtée, elle jouissait de la force de ceux qui ne croient pas en l'avenir parce que l'avenir ne leur fait pas peur. L'avenir est une notion abstraite qu'ils dédaignent parce qu'ils savent d'emblée que tout ira bien. Valère aimait ça. Il adorait passer du temps avec elle, ils ne se touchaient pas encore mais ça viendrait. Ça viendrait. Quand il la quittait le soir après l'école, il sentait son corps se tendre comme un arc ; elle ne voulait pas partir, elle ne voulait pas qu'il parte, et même s'ils se retrouveraient le lendemain cela n'apaisait pas leur faim. Ils s'aimaient d'un amour pur, fort, celui des enfants pour leurs parents, des adolescents pour d'autres adolescents, ils s'aimaient parce qu'ils avaient confiance, ils étaient nés au même endroit, ils imposaient le même respect, et les Trois-Gueules leur appartiendraient un jour, du moins le croyaient-ils.

Valère ne voulait plus seulement l'accompagner le soir et manger des glaces au Café, il désirait tout savoir, sur son enfance, sur ses parents, sur son père qui avait étudié en ville, sur sa mère qui n'était pas d'ici mais qui s'était coulée dans le paysage aussi facilement qu'un filet de lait chaud dans un bol de café noir. Il l'aimait. Et il la désirait. Jusqu'ici, Valère avait passé sa vie sexuelle seul dans sa chambre, l'oreille tendue, la main dans le pantalon, cherchant une extase rapide et silencieuse. Il jouissait vite et puissamment, mais chaque fois, quand il s'étendait sur son lit, épuisé, il pensait au corps de Bérangère, aux mots rassurants qu'il trouverait, aux caresses pour l'apprivoiser. Elle n'était pas farouche. Plusieurs fois, elle lui confia qu'elle ne serait pas « une oie blanche », qu'elle ne refoulerait pas « ces choses-là ».

Lorsque sa mère dormit en ville une fois par semaine, elle se sentit plus libre. Seule femme à la maison. Son corps prit de la place, imposa sa loi, dicta ses envies, Agnès n'était plus là pour lui dire qu'il fallait « faire attention ».

Agnès.
Bérangère en parlait comme d'une femme qui ne vieillissait pas. Elle avouait se sentir honteuse à ses côtés. Lorsqu'elle se rendait au Café, si bien habillée, avec les lignes de son visage parfaitement contractées, ce sourire, rassurant pour les autres, figeait celui de sa fille en une grimace grossière. Bérangère admirait sa mère parce qu'elle restait belle malgré tout ; elle ne savait pas si elle serait à la hauteur, une fois le moment venu. L'idée d'être seulement jolie la terrifiait, Valère la consolait en lui assurant qu'elle n'avait rien à craindre. Mais plus elle grandissait, moins son corps, soumis à ses

intempéries hormonales, répondait à ses angoisses. Elle ne le contrôlait pas, il lui échappait, alors que celui de sa mère semblait ferme, bien bâti. Agnès, devant sa fille en larmes, expliquait qu'elle ne devait pas s'inquiéter, que toutes les filles se soumettaient aux secousses du temps. Cela passerait « bien vite ». Elle la prenait dans ses bras, la berçait, murmurait qu'elle était la plus belle. Accablée, Bérangère la sentait si légère, si souple. Le chignon parfaitement noué à la base du crâne. Elle se sentait humiliée, laide, elle se haïssait, son âge, son corps, sa condition, l'insupportable beauté de sa mère. Seul Valère calmait ses crises, seul Valère la rassurait.

Pourtant, Agnès le lui avait répété cent fois : elle aussi était passée par là, elle aussi s'était sentie mal, grosse, grasse. À quinze ans, elle ne ressemblait en rien à la femme que sa fille admirait. L'épreuve de l'adolescence lui avait appris à en découdre avec elle-même, avec les autres. Bérangère entendait, mais elle n'imaginait pas sa mère laide ; cela dépassait les limites de sa pensée. Pour elle, avant sa naissance, il n'y avait qu'un brouillard que ses gestes affolés ne dissipaient pas. Ses parents lui avaient raconté leur rencontre, André s'était confié à elle, sur les Trois-Gueules, Les Fontaines, sur sa grand-mère, Élise, qu'elle voyait peu mais qu'elle aimait bien. Ils se parlaient, se consolaient, mais elle ne se supportait pas. Enfant, tout paraissait si simple, si facile à contrôler, on répondait à ses moindres désirs, sa vie ressemblait à une succession de promenades, de devoirs, de chahuts. À quatorze ans, son corps lui faisait défaut. Il lui échappait. Et plus il la malmenait, plus elle s'accrochait à l'image de sa mère, y plantait ses griffes. Elle lui en voulait d'être aussi belle, d'être aussi fermement installée dans son propre corps. Elle se disait qu'un jour, peut-être, elle aurait aussi ce corps, cette élégance naturelle. Alors ce serait son tour de rendre sa fille jalouse, de lui expliquer que ça n'avait aucune importance. Absolument aucune importance.

Ils s'aimaient.

Et ils se connaissaient. Ils retenaient les tics de langage, les envies, les peurs, les expressions du visage, la contraction des muscles de l'autre. Ils s'épiaient, ils s'apaisaient, Valère calmait Bérangère lorsqu'elle se mettait en colère, Bérangère rassurait Valère quand ses frères n'étaient pas à la hauteur. Les deux adolescents évoluaient dans un mouvement lent, tranquille. Pourquoi brusquer les choses ? Ils vivaient au même endroit, fréquentaient la même école, se retrouvaient dans les mêmes événements annuels. Ils n'avaient rien à craindre ; ni l'éloignement, ni la maladie – avoir un père médecin dans un endroit pareil était une bénédiction –, ni la mort, ils ne s'approchaient pas des carrières, ils ne s'amusaient pas à rentrer tard la nuit après l'heure habituelle. Bérangère et Valère se préservaient de l'influence des Trois-Gueules tout en continuant d'y vivre, de les aimer, de les applaudir quand le soleil se couchait, teintant la pierre d'une brume rougeâtre qu'on ne voyait pas ailleurs. Ils étaient encore jeunes ; Valère ne montait pas jusqu'au bas de l'escalier de La Cabane, Bérangère ne pénétrait pas dans la cour de la ferme. Plus tard, peut-être. Mais pour l'instant, bien que le village entier soit au courant de leur histoire, ils la vivaient à l'ombre, sur les chemins de leur enfance, dans les ornières des Fontaines, loin des maisons qui bruissaient des rires idiots et des clins d'œil appuyés. Le feu entre eux grandissait. Persuadé qu'il épouserait Bérangère, Valère la laissait se pelotonner contre lui, il la caressait comme on prend soin d'un jeune animal craintif. Il la berçait, promettait des choses qu'il n'aurait jamais pensé promettre, et cet adolescent de quinze ans, avec ses grands bras et sa mine douce, ses yeux calmes, cet enfant de quinze ans imaginait qu'il était déjà un homme, sa femme endormie entre ses bras. Quoi qu'il arrive, ils grandiraient ensemble. Ils avaient traversé le plus dur, l'enfance et l'adolescence dans un pays rivé sur eux ; mais ils se tenaient là, debout, alimentés par cette flamme qu'ils partageaient, par cet amour des lieux, cette aisance à vivre loin des villes. Ils s'embrassaient au creux d'une paume géante, celle des Trois-Gueules, à l'abri du monde. Même s'ils n'avaient pas eu le temps de s'amuser, de s'exercer avec d'autres filles, d'autres garçons, même s'ils n'entendaient pas encore le chant des sirènes qui tenteraient de les séparer, ils continuaient, la tempête ne les effrayait pas.

Ou du moins, pas encore.

Les choses sérieuses

Les frères Charrier vacillèrent.

Les nouveaux prix, en ville, défiaient toute concurrence. S'ils s'alignaient, ils perdaient la moitié de leurs employés. Au Café, on parlait de « la fin du règne » ; les Trois-Gueules avaient bénéficié, pendant plus de cinquante ans, d'un traitement de faveur. Si loin des villes, si peu connues, si peu habitées. Personne, à part les frères Charrier, n'aurait parié sur leurs habitants, mais ils avaient tenté le coup et l'argent était rentré, bien rentré.

Clarence laissa sa place à Grégoire, le petit-neveu du père Rémi ; il était né ici. Si la plupart des habitants ne se rendaient que très rarement à l'église, le grand-oncle avait conseillé les plus récalcitrants. Il cessa lui-même d'exercer, et un jeune prêtre, venu de la ville, prit la suite. Rémi était un « vrai », un homme d'Église né sur la même terre que l'édifice qu'il occupait ; son successeur, avec sa gueule d'enfant de chœur sorti d'une chorale de banlieue, peina à trouver sa place.

Clément.

Son habit tombait trop bas. Timide, il baissait la tête devant les anciens du village. Il vivait aux Fontaines, accueillait les croyants, se tenait à leur disposition. Il s'était lié avec Rémi qui le conseillait :

– Ne vous inquiétez pas, Clément, tout ira bien. Il faut apprendre à les connaître, souriait le prêtre en désignant du doigt les habitués du Café.

Clément se tenait derrière lui, comme un chaton caché protégé par les pattes de sa mère. Il ne connaissait personne, et personne ne semblait vouloir le connaître.

– Je ferai de mon mieux, disait-il, mal à l'aise.

Au début, Clément eut le mal de la grande ville. Le mal du pays. Les Fontaines paraissaient irréelles, il souffrait, terriblement, de la solitude, des gens qui traversaient devant l'église sans un regard pour lui, de la messe du dimanche désertée et des conseils inutiles quoique apaisants de son prédécesseur.

– Vous y arriverez.

– Vous ne comprenez pas, Rémi. Je ne suis pas né ici. Et ils le savent.

– Vous ferez avec. Vous n'êtes pas là pour vous-même, mais pour eux, conclut Rémi.

Alors il se tut, supportant sa peine. Clément ne s'enfermait pas ; au contraire, il arpentait les champs à l'extérieur du village, jusqu'aux sommets des Trois-Gueules. De l'autre côté, il lui semblait voir la ville, la fumée des voitures, des usines, de l'aumônerie où il avait passé son enfance. La réponse aux angoisses des hommes se trouvait dans les Écritures saintes, nul besoin de croire en l'histoire biblique pour entendre cette voix, venue du fond des temps, cette voix lourde, lente, qui pouvait les aider. Quand Clément comprit qu'il n'aimerait jamais les Trois-Gueules, il écouta cette voix, se laissa bercer, l'emmenant avec lui comme on porte un enfant.

Le nouveau maire, Grégoire, prenait régulièrement de ses nouvelles.

– L'église est un endroit important pour nous, dit-il la première fois, ses longues mains appuyées contre un vieux banc.

– Comme tous les endroits importants, les gens n'osent pas y entrer.

Grégoire rit gentiment. Clément l'apprécia immédiatement. C'était un homme vif, un homme né ici, attirant la sympathie des autochtones mais dont l'esprit était tourné de l'autre côté des Trois-Gueules, là où la route s'élargissait et menait aux premières zones industrielles. Grégoire savait parler. Que ce soit devant une ou trois cents personnes, il était à l'aise, les mots venaient naturellement, son regard balayait l'assemblée sans orgueil ni indifférence. Les Fontaines lui appartenaient. Il voyait grand, très grand, il ne laisserait pas son patrimoine s'effondrer. Clément en était sûr. Le nouveau curé n'était pas né ici, il n'était pas d'ici, il ne serait jamais d'ici, mais avant son arrivée aux Trois-Gueules des gens s'étaient confiés à lui, il reconnaissait les hommes tristes, les hommes ambitieux, les hommes violents. Il pouvait dire si une femme était ou non célibataire, si elle avait des enfants, si elle cherchait quelqu'un. Il savait tout. Peut-être était-ce la raison pour laquelle on ne l'invitait pas au Café ; il savait. Pour les croyants, Dieu lui disait tout, Dieu parlait à travers sa voix. Pour les autres, Clément était un être étrange, un homme qui avait renoncé aux femmes et qui les connaissait pourtant si bien.

Peu après sa première visite à l'église, Grégoire proposa aux frères Charrier d'ouvrir leur propre atelier de transformation aux Trois-Gueules. Puisque la pierre passait par cet intermédiaire avant d'arriver jusqu'aux acheteurs, en installant le leur, ils seraient payés pour la totalité du service : l'extraction et la transformation.

Une pierre de qualité, vendue depuis la terre mère, et travaillée sur place. Plus d'intermédiaire, ni de revendeurs. Les frères Charrier jouissaient déjà d'une réputation certaine, mais l'évolution des pratiques industrielles ne jouait plus pour eux. S'ils désiraient vendre leur produit à un prix raisonnable sans perdre de main-d'œuvre, ils devaient évoluer, voir les choses en grand, et, surtout, se débarrasser des coûts inutiles. Un atelier Charrier entièrement dévoué à la pierre Charrier. Le marché fut conclu dans l'année.

La construction de l'atelier fit travailler la ferme de Maxime et Delphine à plein régime.

Valère et Bérangère se voyaient au Café, dansaient, marchaient, couraient, s'embrassaient, trouvaient des cachettes. Ils faisaient l'amour. Enfin. Là où ils pouvaient, là où on ne les voyait pas. Leurs parents ne leur donneraient pas un vrai lit si rapidement, bien que les choses soient plus simples pour Valère. Tant que leurs fils n'engrossaient pas une fille du village, ses parents disaient oui à tout. Pas de scandale. Pas de larmes. Pas d'enfant en trop. Voilà ce qu'ils répétaient.

– Il faut faire attention, un enfant ça vient vite, il faut faire attention. Ce n'est pas parce que les filles sont belles qu'elles ne font pas d'enfants, toutes les filles font des enfants, toutes les filles ont des corps qui peuvent accueillir un nouveau locataire, et si ce locataire est à vous il faudra s'en occuper. Vous ferez des enfants quand vous aurez les moyens d'en faire, répétait Delphine dès qu'un des garçons partait au Café.

Bérangère savait tout ça. Son père était médecin. Elle avait feuilleté des livres pleins de schémas, de dessins, de coupes anatomiques.

Bérangère et Valère désiraient que les deux familles acceptent qu'ils ne venaient pas des mêmes espaces. Ils étaient nés aux Fontaines, et ça comptait, mais même aux Trois-Gueules, les lieux et les lignées se divisaient en catégories : Bérangère était une fille bien née, Valère un garçon de ferme. Bérangère vivait en hauteur, Valère dans les ornières des Fontaines. L'une avait la lumière, l'autre la bouse des vaches et les insultes de ses frères. Ils pouvaient s'en tenir à leur petite histoire, mais alors ils ne feraient pas l'amour dans un vrai lit, et, maintenant qu'ils l'avaient fait partout, ils brûlaient de s'allonger, d'ignorer l'heure qui passe. Sûre d'elle, Bérangère rencontrerait la famille de Valère. Elle connaissait déjà Antoine. Elle serait forte, fière face aux deux aînés qui ne la laisseraient pas habiter l'existence de Valère aussi facilement. Elle ne les craignait pas. Valère, quant à lui, n'avait pas peur de manger à la table de Benedict ; le médecin l'appréciait.

En revanche, Agnès l'inquiétait.

Ils ne s'étaient jamais rencontrés. Son époux, Benedict, faisait partie de sa vie : le médecin les avait soignés, lui, ses frères, ses parents. Valère le respectait, le médecin n'étalait pas sa richesse devant les plus démunis, il se déplaçait jusqu'à la ferme en cas de besoin, savait quoi dire et quoi faire avec les fourmis blanches et les enfants de paysans. Benedict semblait à l'aise avec tous, peut-être pas autant qu'André, mais tout de même.

Avec Agnès, les choses seraient plus compliquées. Valère ne l'avait pas côtoyée, il savait à quoi elle ressemblait pour l'avoir aperçue, de loin, quand elle descendait de La Cabane. Bérangère lui parlait d'elle sans cesse, quand elle pleurait à cause de son corps qui s'épaississait, de la peau de son visage qui rosissait, elle revenait toujours à sa mère, à sa beauté qui lui faisait, pour le moment, cruellement défaut.

Agnès n'était pas une native des Trois-Gueules ; elle venait de la ville, où elle traduisait des manuels scolaires, des textes pour les chercheurs. Sans la connaître, il s'était construit une image mentale de sa future belle-mère. Elle avait les manières des citadines et, pourtant, elle s'était parfaitement intégrée. Elle parlait plusieurs langues, se déplaçait beaucoup pour son travail, tenait sa maison d'une main de fer. Sa fille était belle et intelligente. Agnès était tout ça à la fois, une version améliorée de Bérangère. Débarrassée des excès de l'adolescence, de la sensibilité idiote qui froisse les traits des jeunes filles et les empêche de s'endormir le soir. Il l'imaginait assez maligne pour voguer à travers les différents milieux du monde, entre les Trois-Gueules et la grande ville, s'adressant aisément à n'importe qui. Elle avait épousé un des hommes les plus riches des Fontaines et accepté de le suivre. Agnès était une femme belle et courageuse. Ce que sa fille disait d'elle, les déductions qu'il tirait à partir de ces indications formaient un tableau aussi parfait qu'improbable. Il ne voulait pas décevoir cette femme qui régnait sur sa propre vie comme les frères Charrier sur Les Fontaines. N'ayant jamais entendu le son de sa voix, il l'imaginait à la fois douce et tranchante, comme les pages d'un cahier neuf.

Plus Bérangère lui disait de ne pas s'inquiéter, qu'Agnès était « une femme formidable », plus il redoutait de la rencontrer. Malgré lui, Valère l'admirait. Il ne saurait quoi dire à quelqu'un qui évoluait de la sorte entre des mondes si différents, il se sentait plein de sa brutalité paysanne, certain de ce qu'il accomplirait pour les Trois-Gueules qu'il ne voyait pas comment modeler sa personnalité en fonction des lieux où il se trouvait : Les Fontaines étaient le seul monde qui valait la peine qu'on se batte pour lui. Pourtant, Agnès était la preuve vivante que les univers s'entremêlaient parfois en une seule et même vie. Il savait qu'elle ferait partie des êtres qui partageraient son existence mais qu'il ne déchiffrerait jamais. Quand Bérangère parlait d'elle, elle abordait une énigme. Il n'y arriverait pas. Il passerait au travers de cette tempête, résisterait à ses assauts, espérant que du haut de sa grandeur Agnès lui permettrait d'aimer sa fille. Elle n'avait pas un caractère simple et doux comme Bérangère, il l'imaginait grande, sévère. Mais elle avait suivi Benedict aux Fontaines, « elle aime Les Fontaines », disait Bérangère. Agnès avait cette capacité de renoncement, cet effacement provisoire qui lui permettait d'être acceptée partout où elle se trouvait.

Malgré ses doutes, Valère accepta de passer le cap des familles.

Un dimanche après-midi, il emmena Bérangère dans la salle à manger, où ses parents et ses frères buvaient le café, devant la cheminée qui crachait ses chicots rougeoyants. Louis n'était pas là ; il travaillait à la coopérative. Lorsque Bérangère fit son entrée, Delphine se leva précipitamment, l'invita à s'asseoir à sa place, au bout de la table, entourée d'Antoine et de Maxime, un peu fatigué, qui somnolait en lisant le journal.

– Merci de m'accueillir chez vous, Delphine. Valère me parle souvent de vous… et Antoine aussi.

Le petit frère rougit, le nez dans sa tasse.

– D'ailleurs, comment ça se passe à l'école ? lui demanda-t-elle.

Antoine renifla bruyamment comme s'il s'apprêtait à déclamer une scène de théâtre.

– Je crois que la maîtresse m'aime bien, elle ne me fait jamais passer au tableau.

– C'est parce qu'elle ne veut pas que les autres se moquent de toi !

Du fond de la table, Aimé crachait son venin, certain d'humilier son frère et d'impressionner la nouvelle venue.

Bérangère vit Antoine se ratatiner sur lui-même.

– Je crois plutôt qu'elle sait qu'elle n'a pas besoin de le tester.

Valère étouffa un rire. Aimé voulut répondre. Delphine sourit, impressionnée par sa répartie. Elle servit un café fort à sa future belle-fille qui ne grimaça pas en le buvant, même s'il lui brûlait la langue et lui retournait l'estomac.

– J'ai entendu dire que Benedict voulait faire venir de nouveaux médecins au village, grogna Maxime, le nez toujours dans son journal.

Valère releva la tête. Son père cherchait la dispute. Avant qu'il ait pu détourner la conversation, Bérangère répondit :

– Benedict est mon père, à la maison il me parle plus de mes mauvaises notes que de ses projets.

Antoine rit franchement, et chantonna « Bérangère a des mauvaises notes » ; Maxime se détendit. Aimé rit à son tour, comme une hyène, et siffla :

– Une fille de médecin n'a pas de mauvaises notes.

– C'est impossible d'avoir des notes pires que les tiennes ! hurla Antoine qui s'était levé de table.

Enhardi par la présence de Bérangère, il en profita pour tourner autour d'Aimé en se moquant de lui, jusqu'à ce que l'aîné quitte la pièce sans un mot. Il ne pouvait pas cogner Antoine devant l'invitée. Épaté, Maxime se tourna vers Bérangère :

– Vous avez sauvé mon après-midi, jeune fille.

Bérangère fit un geste de la main, « J'en ai vu d'autres », et invita Antoine à se rasseoir près d'elle. Pendant une heure, ils discutèrent gaiement de ses cours, de ses amis, et lorsque Valère piqua du nez sur la table, elle s'excusa et prétexta un rendez-vous urgent. Maxime et Delphine l'embrassèrent sur les deux joues, Valère la raccompagna jusqu'au chemin communal :

– Tu es extraordinaire, lui souffla-t-il en l'enlaçant doucement.

Dehors, la nuit tombait, le ciel prenait des teintes orangées qui coloraient leurs visages, ils ressemblaient à des créatures infernales, perdues au paradis.

Au Café

André sortait moins.

Il ne vieillissait plus, il disparaissait. C'était son métier : voir les gens disparaître peu à peu. Il retardait les effets, rafistolait les morceaux, réparait le réparable.

André avait joué son rôle aux Fontaines ; les patients de Benedict demandaient de ses nouvelles, sa chambre regorgeait de cadeaux, de lettres. On l'invitait partout. Peu à peu, son corps ne lui permit plus de se rendre chez les uns et les autres. Sa maison devint son pays ; bientôt ce serait la chambre, la salle de bains, et puis seulement la chambre, mais il préférait mourir ici, dans cette Cabane majestueuse, plutôt que dans un hôpital, loin des siens, loin des Fontaines. La ville n'avait plus d'importance. Il était un morceau des Trois-Gueules. Il mourrait ici, paisiblement. Sa chambre sentait le lys, les draps étaient changés tous les trois jours. Agnès prenait soin de lui, rapportait ses journaux préférés, faisait griller des brioches fraîches à quatre heures. Elle lui lisait ses romans favoris à haute voix. Jamais il ne voyait son visage se crisper, jamais il n'entendait une mauvaise parole.

Sa petite-fille, Bérangère, l'adorait. Deux fois par mois, ils descendaient ensemble au Café. Quand ils s'installaient à leur table habituelle, proche de l'église, avec une nappe bleue et blanche et un portant de bois annonçant la carte des vins, sa vie entière défilait devant ses yeux. Les habitués dérivaient du Café à l'église, de l'église à l'épicerie, de l'épicerie au cabinet médical, celui qu'il avait ouvert, quand Les Fontaines n'étaient qu'un hameau désert qu'ils avaient redressé, lui et quelques autres. Les jeunes gens riaient, adressaient des gestes discrets à sa petite-fille. Bérangère et André avaient besoin d'être ensemble, « avant que ça se termine », disait-elle, « un jour je sais que ça se terminera », et il riait. Bérangère balayait les difficultés dès qu'elle ouvrait la bouche ; ça arriverait, et jusque-là, elle serait présente, elle l'accompagnerait, comme il l'avait accompagnée pendant son enfance.

André était plus souple avec elle qu'avec Benedict. Son garçon prenait la relève au cabinet médical, le vieux médecin profitait pleinement de sa petite-fille ; ils s'entendaient bien, ils riaient fort et franchement, comme deux adolescents. Il ne lui imposait rien ; à mesure qu'elle grandissait, il se délestait des principes fondamentaux qu'il avait inculqués à Benedict, pour ne garder que la sensation exquise du bon temps passé avec quelqu'un pour qui il n'était pas qu'un « vieux », mais un confident. Bérangère lui disait tout, il pouvait tout entendre. Ses petits tracas l'amusaient. Benedict et Agnès l'avaient bien élevée, mais ils ne la garderaient pas près d'eux tel un oiseau en cage. Elle avait hérité d'André cette volonté de fer, cette capacité d'avancer malgré tout, de déplacer des montagnes, à la petite cuillère s'il le fallait. Bérangère n'avait peur de rien ni de personne, et surtout pas de ses parents. Elle en parlait avec affection, prenant ce ton gentillet qui signifie « ils ne m'arrêteront pas ». André était si fier d'elle, si heureux qu'elle ne demande pas la permission. Benedict avait toujours eu besoin de lui plaire, de son approbation, son fils était venu tard aux Trois-Gueules, Élise l'avait gardé sous clé pendant des années et encore aujourd'hui, alors qu'il ne quittait presque plus sa chambre, Benedict lui demandait conseil, « ce qu'il en pensait ». Bérangère, elle, parlait simplement. Elle le respectait mais ne se considérait pas inférieure à lui, alors que Benedict ne dépassait jamais la ligne qu'il avait lui-même tracée : il se voyait comme le fils de son père plutôt que comme le père de sa fille. Une fois que tout serait terminé, André savait qu'il serait celui pour qui sa mort serait le plus dur, mais il ne pouvait plus l'aider. Benedict prendrait sur lui, il grandirait, enfin. En présence de son père, Benedict était encore ce petit garçon qui mangeait des gaufres pendant que ses parents discutaient sur la terrasse.

Ce dimanche-là, Bérangère portait un pull bleu marine qui avait appartenu à son père. André lui fit remarquer qu'ils avaient les moyens de l'habiller avec des vêtements neufs, mais elle balaya sa réflexion d'un geste de la main.

La journée serait belle et chaude. La terrasse du Café se remplissait. Une fois la messe terminée, ils se moqueraient des grenouilles de bénitier qui traverseraient la place d'un pas rapide, leur fichu sur la tête, sans un regard pour les habitués qui les observaient.

— Il faut que je te dise quelque chose, souffla Bérangère. Quelque chose d'important.

André inclina légèrement son crâne dégarni et esquissa un sourire.

— Est-ce que tu vas me parler du fils de Maxime et Delphine ? gémit-il en battant des cils comme une danseuse.

Bérangère éclata d'un rire franc et attrapa la main de son grand-père. Tout d'un coup, ce n'était plus si solennel.

– Tu connais Valère ? demanda-t-elle.

– Je me suis occupé de son grand-père, dans le temps. Mais il paraît que leur fils aîné est un véritable abruti, conclut-il en attrapant son bock de bière.

Bérangère acquiesça. Elle détestait Aimé.

– Valère n'est pas comme ça, affirma-t-elle. Il travaille beaucoup à l'école. Il finira deuxième ou troisième de sa classe.

– C'est assez rare pour les garçons de ferme.

Il connaissait Valère ; jamais il n'aurait pensé que ce garçon n'avait que seize ans. Il en paraissait quatre de plus. Ses bras étaient ceux d'un homme, il se tenait bien droit, à l'aise dans les champs, avec les hommes des Fontaines. Qu'il s'en sorte bien au lycée le laissait pensif ; ce garçon s'avérait parfait. Rien d'étonnant à ce que sa petite-fille veuille le garder pour elle. Un spécimen de ce genre attirait les adolescentes.

– J'aimerais qu'il vienne à la maison, lâcha-t-elle, le nez dans son verre.

André prit un air sérieux. Bérangère comprit à quoi il pensait.

– Pour déjeuner. Je veux qu'il rencontre Papa et Maman.

André soupira. Ils se mirent à rire, un peu gênés, et commandèrent d'autres boissons. La fin de matinée s'étirait lentement, les gens quittaient le Café, d'autres prenaient leurs places.

– Regarde, dit André en levant le menton vers l'église.

Clément se tenait devant la porte, son habit noir légèrement gonflé par le vent.

– En voilà un qui aurait dû regarder les filles d'un peu plus près, ricana André.

– Il a l'air triste.

– Tous les enfants de Dieu sont tristes, répondit son grand-père en se redressant, comme pour clore une discussion ennuyeuse.

Bérangère se tut. Il n'était pas très porté sur ce genre de choses. Son grand-père n'acceptait pas qu'on puisse croire à la magie d'un enfant né d'une mère vierge. Pourtant, comme beaucoup aux Fontaines, il admettait la présence des forces aux Trois-Gueules. Elles le dépassaient. Malgré son talent, il ne pouvait redresser un corps que les forces avaient choisi de détruire, il ne pouvait combattre une puissance anonyme. Quand, au petit matin, il avait sorti le petit garçon mort de sa chambre, il s'était soumis à ces forces, il avait accepté de ne pas tout contrôler. Il ne croyait pas en Dieu mais vivait dans la crainte d'un accident, dans la peur de voir un autre enfant disparaître.

Elle finissait son deuxième verre quand les cloches sonnèrent midi et demi. Au loin, on entendit le crissement des pneus sur le gravier, et la voiture de Benedict s'échoua près du Café. Ils se levèrent, elle tint son grand-père par le bras et le mena jusqu'à la porte arrière que Benedict ouvrit à la façon d'un majordome. André décocha un « merci, jeune homme » en souriant et s'enfonça dans la banquette. Bérangère monta à l'avant. Ils filèrent droit en direction du Chalet-Haut, laissant derrière eux une traînée de poussière brune.

Devant l'église, Clément regarda longtemps la voiture s'éloigner. L'air frais le rafraîchissait. Un moment, il pensa s'installer à la terrasse du Café, commander une limonade, puis il se ravisa. Il charriait dans ses muscles fragiles le sang de la ville, de la ville lointaine ; il n'irait jamais s'y asseoir.

Bérangère annonça la nouvelle à Valère en sautillant de joie.

– À ton tour de passer le grand oral !

Le déjeuner fut fixé au dimanche suivant. Il viendrait un peu tard, les parents ne l'attendaient pas avant une heure. Mais il avait beau se remémorer la scène dans la cuisine de la ferme, se rappeler Bérangère, son franc-parler qui avait tant plu à Maxime et à Delphine, il redoutait Agnès. André et Benedict étaient des gens du coin, même si les mauvaises langues crachaient qu'ils n'étaient pas « nés » ici. Pour sa part, les deux médecins faisaient partie des Trois-Gueules. Agnès, elle, on la voyait moins, elle était retournée en ville, elle était divisée en deux. Une part d'elle vivait à La Cabane, l'autre dans des bureaux bondés. Il ne connaissait rien de la ville, du monde d'Agnès, des langues qu'elle parlait, des récits qu'elle traduisait. Il craignait de passer pour l'idiot du village, qu'elle lui refuse Bérangère. La semaine précédant la rencontre, il dormit peu, se tua au travail pour ne pas penser au dimanche. Il se sentait comme un enfant malade à qui on demande de courir un marathon.

Il ne le ferait pas pour lui, mais pour Bérangère. Elle avait besoin que les choses se passent ainsi. Ses parents étaient, depuis longtemps, au courant. André les avait aperçus, tous les deux, quand il se promenait. Cette autre famille, qu'on respectait alors que seule Bérangère était née ici, avec ses codes, son histoire, son éducation, il devrait l'affronter, l'apprendre, comme ses leçons au lycée.

La rencontre

Bérangère l'attendait à la sortie du Chalet-Bas.

Après avoir balayé la grange et la cour, Valère s'était nettoyé au savon blanc. Il portait un jean d'un bleu brut, qui mettait en valeur ses cuisses épaisses. Aux pieds, des chaussures montantes en cuir, celles de son père, polies avec une brosse en crin.

L'automne recouvrait le chemin de feuilles rouges et jaunes qui craquaient sous les pas du garçon. Il avait passé un pull beige, orné d'un bandeau brun aux poignets et d'un col plus foncé. En dessous, un t-shirt clair. En passant devant la scierie, il salua les ouvriers qui pique-niquaient avec leurs enfants. Les petits criaient, la bouche à moitié pleine, les mères, pour une fois, n'en disaient rien, et Valère aurait aimé partager un sandwich avec eux pour se donner du courage. Il avançait rapidement, les bras un peu écartés. Son teint était celui d'un homme qui vient de passer deux jours au grand air ; ses pommettes, traversées de stries roses, le dotaient d'une allure d'aventurier.

Un large sourire balaya sa gêne quand Bérangère apparut. Elle se pendit à son cou, l'embrassa sur les lèvres, en lui promettant que tout irait bien s'il daignait quitter sa « trogne de condamné ». Ils avancèrent sans rien dire. La présence de Bérangère le rassurait, mais il n'était pas tranquille pour autant. En approchant de l'escalier, une vague angoisse le secoua ; il n'avait jamais vu la maison d'aussi près. D'ici, elle paraissait immense, elle l'écrasait, lui et sa ferme, lui et ses vaches, il ne venait pas d'une famille capable de bâtir une telle demeure. Surexcitée, Bérangère le tira par la manche et ils grimpèrent les marches jusqu'à la terrasse en bois. La vue était époustouflante ; les Trois-Gueules s'étendaient sous ses yeux, il voyait les Bois-Noirs où déjeunaient les ouvriers et leurs enfants, distinguait Les Fontaines et leur église comme un crayon gris, la mine pointée vers le ciel. Il devinait les lignes mouvantes de l'autre côté des carrières, là où la route remontait abruptement.

— Et voilà le plus beau, dit une voix enjouée derrière lui.

Valère se retourna et Benedict le serra contre son torse. Sa manière à lui de dire bonjour. Valère se laissa porter contre son épaule et lui adressa un sourire un peu figé mais sincère. À l'intérieur, la salle à manger mesurait trois fois la taille de celle de la ferme. En vérité, il aurait pu y rentrer son bétail. Bérangère était déjà assise sur le canapé en face d'une cheminée arquée, dans le séjour qui communiquait avec la cuisine par une large ouverture ronde. Elle discutait avec son grand-père, et quand Valère, franchement mal à l'aise, pénétra dans la pièce, André fit signe d'approcher, et lui murmura à l'oreille :

— C'est impressionnant au début, je m'y perds encore.

Le jeune homme sourit, prit place aux côtés du vieux docteur, qui expliquait comment il s'était égaré dans les Bois-Noirs une fois qu'il rentrait tard du Café. Les adolescents écoutèrent, André racontait bien les histoires, il en avait toujours une en réserve. Benedict, en préparant la table, lança :

– Agnès descend d'une minute à l'autre.

Une odeur de volaille et de pommes de terre emplit les narines du garçon. La demeure paraissait trop grande pour accueillir une seule famille, trop silencieuse aussi, mais la joie du vieil homme la remplissait. Tandis que Bérangère se dirigeait vers l'escalier pour appeler sa mère, on entendit une voix du premier étage dire :

– J'arrive !

Des pas vifs et légers résonnèrent.

Agnès descendait en trombe. Elle portait un long gilet en laine et un pantalon retourné aux chevilles. Ses pieds nus remuaient dans ses chaussons en peau. Ses cheveux, retenus en un chignon bas, encadraient un visage peu maquillé, marqué aux paupières, aux tempes. Elle se dirigea jusqu'au canapé et serra Valère contre elle, avec plus de force que Benedict.

– Excusez-moi, jeune homme, vous savez comment sont les femmes lors d'un premier rendez-vous !

Cette remarque amusa Benedict et Bérangère, qui s'activaient dans la salle à manger en plaçant des couverts en argent sur des serviettes pliées en quatre. Valère se dégagea de son étreinte, voulut répondre « Non, je ne sais pas », mais se ravisa et se tourna vers André qui regardait sa belle-fille en inclinant légèrement la tête, comme pour la gronder.

Agnès s'assit dans le fauteuil de Bérangère. Face à André. Valère la voyait de trois quarts. Elle questionna son beau-père sur ses problèmes de santé, son sommeil, demanda s'il avait « besoin de quoi que ce soit ». Pendant qu'ils discutaient, Valère enregistrait chaque détail de son visage. Bérangère avait sa bouche, ses pommettes, la même couleur de cheveux. Ce chignon lui irait bien, si elle prenait la peine de se peigner le matin. À la lumière naturelle, le visage d'Agnès manquait de graisse, le temps creusait ses joues, affinait sa bouche et marquait son cou frêle. Des mèches de cheveux retombaient sur son front, adoucissaient l'expression butée de ses yeux. Elle dormait mal, ou peu, des cernes sombres alourdissaient son regard, mais le teint pâle et les cheveux fins lui conféraient des airs de jeune fille que Bérangère perdrait dans quelques années. Elle était assise en chien de fusil, son gilet tombait à mi-cuisse. Ses jambes, fuselées par la marche, repliées sous elle, formaient deux quilles claires enfouies sous son gilet. Elle était mince, athlétique, légèrement plus grande que sa fille. Elle parlait avec André mais Valère voyait ses pieds secouer ses chaussons ; il se demandait si Agnès était toujours aussi nerveuse. De temps en temps, elle lui jetait des coups d'œil rapides, auxquels il répondait par un demi-sourire poli.

La lumière du jour se répandit brusquement dans la pièce et lécha les pieds d'Agnès. Ils bavardèrent, puis Benedict cria :

– À table !

Tous trois se levèrent d'un seul mouvement. Valère avait faim. Très faim.

Il s'assit face à Agnès et déplia sa serviette. La table était longue, ils se tenaient à une distance raisonnable les uns des autres. Benedict apporta un plat en terre sur la table, du poulet rôti accompagné de pommes de terre, de carottes et de navets couverts d'une sauce brune compacte.

– Ça a l'air délicieux, dit Valère à l'attention d'Agnès. André désigna Benedict de la main.

– C'est mon fils qui cuisine.

– Oh, pardon.

Valère sourit faiblement au médecin qui dodelina de la tête en attrapant les couverts de service. Chez Valère, Maxime ne s'approchait pas de la cuisine. Il avait toujours vu sa mère apporter les plats. Honteux, Valère piqua du nez dans son assiette dès que Benedict l'eut emplie. Le poulet était délicieux. Les légumes parfaitement cuits. Agnès ouvrit une bouteille de vin rouge, l'approcha du verre du jeune homme qui le couvrit de sa main.

– Non merci.

Elle eut l'air surpris.

– Je travaille cet après-midi.

– Eh bien… soupira-t-elle en remplissant son propre verre et celui d'André.

Benedict fit tinter ses couverts, ce qui exaspérait sa fille.

– Agnès, Valère n'a que seize ans.

Sa femme suspendit son geste et fixa son époux :

– Parce que André ne te servait pas un verre le dimanche, au même âge ?

Le vieux se mit à rire et s'essuya la bouche.

– Heureusement qu'Élise n'en a jamais rien su, dit-il, débonnaire. Boire un verre de temps en temps n'a jamais fait de mal à personne, surtout pour un travailleur comme toi, glissa-t-il à Valère.

Ils discutèrent un moment des cours de Bérangère. Elle se plaignit de son professeur de mathématiques, Valère réprimait un fou rire dès qu'elle commençait une phrase par « Non mais franchement… ». S'ensuivait toujours une diatribe contre le collège Charrier. Les mains croisées devant lui, Benedict écoutait sa fille en mâchant sa viande. De son côté, Agnès ne quittait pas son verre, elle buvait peu, mais elle le gardait en main.

Une fois qu'ils eurent vidé le plat, Bérangère débarrassa la table et apporta un plateau de fromages qui embaumait tellement que Valère ouvrit la porte-fenêtre derrière lui. Agnès rit de bon cœur.

– Vous avez raison, Valère, nous allons bientôt suffoquer !

Bérangère esquissa une grimace goguenarde, et murmura :

– Plus ça sent, meilleur c'est.

L'après-midi passa lentement. La lumière les berçait à mesure qu'elle retombait. La brise entrait par la porte ouverte. Les chaussons d'Agnès ne gigotaient plus. André ronflerait bientôt sur sa chaise ; il quitta la table après le dessert et s'enfonça dans son fauteuil. Ignorant l'air désapprobateur de sa mère, Bérangère attrapa une deuxième part de tarte qu'elle ne put terminer et Valère débarrassa les petites assiettes qu'il empila dans l'évier. L'estomac plein, ils terminèrent le repas sur un café fort et noir. Bérangère en but à peine la moitié d'une tasse. Sa mère se resservit comme s'il s'agissait d'eau gazeuse.

– Bérangère m'a dit que vous faisiez des traductions, dit Valère. (Elle haussa un sourcil, étonnée.) Combien de langues est-ce que vous maîtrisez ?

Elle sourit. *Maîtriser.* Un terme que les gens employaient peu.

– Quatre. Mais je perds la main sur l'italien.

Bérangère leva les yeux au ciel. Sa mère parlait parfaitement italien. Valère attrapa la cafetière et se servit une troisième tasse qu'il fit rouler entre ses paumes.

– La meilleure façon de comprendre ceux qui ne parlent pas la même langue, c'est de les regarder, lâcha-t-il sans lever les yeux.

Benedict releva la tête. Il somnolait.

– Qu'est-ce que tu veux dire par là ? demanda Bérangère en repoussant la cafetière au bout de la table.

Valère eut tout à coup l'impression d'être au tribunal.

– Je ne parle pas des recherches universitaires, dit-il en s'adressant directement à Agnès, ignorant Bérangère, simplement, les expressions du visage, les gestes, le regard de celui qui se trouve en face de nous en disent parfois plus long qu'un paragraphe.

Il fit une pause. Agnès le fixait à présent. Son corps était immobile.

– Les peuples partagent un langage commun, celui du corps. Il suffit de regarder les animaux, ceux qui ne sont pas de la même espèce se comprennent. (Il avala une lampée de café qui fit l'effet d'un courant électrique. Son estomac se contracta.) C'est ce qu'on appelle du café ! plaisanta-t-il en se redressant sur sa chaise.

Devant lui, Agnès le scrutait comme si elle découvrait une créature étrange. Bérangère donna un léger coup de coude à Valère.

– Je vais devoir y aller, dit-il en se levant.

Sa chaise racla le sol, et réveilla André.

– Viens me tenir compagnie un de ces jours, mon garçon, cria-t-il depuis le salon, sans bouger de son fauteuil.

Benedict se pencha sur son épaule. Puis Agnès s'approcha, l'air grave, et le tint contre elle un long moment, comme si elle lui chuchotait un secret mais que les mots refusaient de sortir. Lorsqu'elle desserra son étreinte, Valère évita son regard et sortit sur la terrasse, non sans avoir remercié la famille. Bérangère l'accompagna jusqu'au bas de l'escalier.

– Bon courage pour cet après-midi, lui dit-elle tendrement.

– J'ai l'habitude, répondit-il en la serrant fort.

Elle sentait bon. Ses vêtements étaient doux, de bonne qualité. Il l'embrassa dans le cou, puis au coin des lèvres.

Dans la salle à manger, Agnès attendait contre la vitre ; pour la première fois, elle ne regardait pas les corbeaux dans les arbres, mais les deux adolescents enlacés au-dessous d'elle.

Les premières secousses

À la fin du printemps, les frères Charrier ouvrirent leur premier atelier de transformation de la pierre, celle qu'ils arrachaient chaque jour au corps ouvert des Trois-Gueules, avec leur machines beuglantes, leurs fourmis blanches épuisées, leurs antiques camions qui partaient de l'autre côté apporter des stocks de roche naturelle dans les dépôts de banlieue, aux ateliers intermédiaires qu'ils payaient cher. Deux maîtres tailleurs, proches de la famille Charrier, attirés par « la légende des Trois-Gueules », vinrent aux Fontaines apprendre le métier à une vingtaine d'ouvriers qui quittèrent les carrières sous les regards sceptiques des autres fourmis blanches. Dorénavant, dans cette longue bâtisse, on allait tailler, percer, poncer, rogner, donner à la pierre des formes qu'elle n'avait pas connues, des odeurs nouvelles, modernes, on allait adoucir ses aspérités, retirer ses excroissances, ses taches, ses bosses, la polir, la lisser, des hommes et des machines travailleraient dessus nuit et jour, comme des chirurgiens penchés sur un corps mal endormi. L'atelier Charrier cracherait des kilos de pierre qu'on vendrait directement aux industriels du pays, il transformerait la falaise trouée en blocs de taille réglementaire et rapporterait l'argent qui manquait aux Trois-Gueules. Ivres d'ambition, les frères Charrier attaquaient la montagne ; les machines, avec leurs bras mécaniques, ressemblaient à des araignées géantes, avides et cannibales, elles dépeçaient la muraille, emportaient dans leur délire hommes et rochers. Partout, aux Fontaines, on pronostiquait les dividendes rapportés par l'atelier dans les trois années à venir. Quitte ou double. Même Clément avait son idée sur la question.

Depuis les rumeurs de faillite de la famille Charrier, des fourmis blanches débarquaient en plein après-midi, quand personne ne traînait dans les rues ni au Café. Honteux, terrifiés, ils priaient pour que tout s'arrange, se confessaient, demandaient pardon. Dieu avait peut-être quelque chose à voir là-dedans. D'une voix douce, Clément les poussait à revenir chaque semaine : « Dieu vous met à l'épreuve. » Alors ils revenaient, de plus en plus nombreux, avec femmes et enfants. Le dimanche, l'église était moins vide, les fourmis serraient la main du prêtre qui posait sa paume sur la leur en disant : « Revenez. Je ne peux rien promettre, mais il faut croire. » *Croire.* Son chant. *Il faut croire.* Ce serait dur, il faudrait du courage, de l'abnégation. *Croire.* Les forces des Trois-Gueules planaient sur eux comme un vol de corneilles, ils ne savaient pas quand la foudre frapperait. Quand le nouvel atelier ouvrit ses portes, Clément eut moins de visites. Pourtant, à partir de ce jour, chaque dimanche l'église se remplit de paires d'yeux effrayés, d'enfants maigres qui écoutaient les conversations de leurs parents à propos d'un mal qui avait, jadis, plongé Les Fontaines dans l'horreur, qui viendrait s'abattre de nouveau s'ils ne demandaient pas pardon pour des crimes qu'ils n'avaient pas commis.

Benedict profita de ces bouleversements pour finaliser le projet qu'il avait fomenté peu avant la naissance de

Bérangère. Partager son cabinet avec des spécialistes venus de la ville. Même s'ils ne vivaient pas sur place, ils apporteraient une nouvelle clientèle pour le Café et les paysans, ils permettraient aux habitants des Fontaines de prévenir les problèmes plutôt que se rendre chez Benedict quand il n'y avait plus rien à faire. Et puis, il deviendrait plus que le fils de son père, plus que « l'enfant d'André », il serait celui qui avait amené la santé aux Trois-Gueules, allongé l'espérance de vie, changé les choses.

Plus Benedict vieillissait, plus il s'inventait la vie d'André avant sa venue aux Fontaines. Il se demandait si son père tenait vraiment à lui, s'il s'inquiétait pour Élise ; elle aussi vieillissait, elle peinait à monter les escaliers de son appartement, elle s'essoufflait vite. Quand sa petite-fille lui rendait visite, elle restait silencieuse. Gentille, mais silencieuse, comme si tout ça n'avait plus d'importance, comme si cela n'en avait jamais eu. Benedict ne savait rien du massacre de Saint-Étienne, des enfants, des statues dans la mémoire d'André. Perdu dans sa course à l'amour impossible, il n'avait posé aucune question, soulevé aucune pierre du passé pour voir ce qui dormait en dessous. Benedict ne pensait qu'à rendre fier André, avec ses moyens ridiculement naïfs, juvéniles, sans imaginer que son père n'avait pas besoin de lui pour ça, qu'il n'attendait rien de son fils, sinon qu'il soit heureux. Pour Bérangère, Benedict était rentré plus tôt. Il l'avait emmenée partout, avait acheté des livres, des jeux, fait exprès de perdre en comptant les corbeaux devant la vitre. Il avait été présent auprès de ses deux femmes, effrayé à l'idée de rentrer un soir et de ne plus les trouver. Bérangère serait belle, il n'en doutait pas, elle ressemblait déjà à sa mère. Agnès, avec le temps, ne s'était pas enlaidie.

Son corps n'avait rien perdu de sa superbe. Elle soignait, chérissait chaque parcelle de sa peau, elle vivait au grand air, mangeait peu et bien, son visage rayonnait. Benedict connaissait sa chance.

Pourtant, le déjeuner avec Valère provoqua un séisme.

Le jeune homme était si beau, si fort, si apte à protéger sa fille, si respectueux, et respectable, que Benedict avait soudain pris conscience que lui aussi devait avancer. Sa fille leur présentait un garçon, sa femme travaillait en ville deux jours par semaine, et lui, depuis qu'il était revenu aux Fontaines, qu'avait-il accompli ? Benedict s'était cogné à sa propre impuissance. Ce garçon était le bon, ça ne faisait aucun doute, à peine avait-il passé la porte que Benedict s'était senti rassuré en sa compagnie, il émanait de lui une force qui ne se manifestait qu'aux Trois-Gueules, celle des individus qui ne redoutent rien.

Un soir, alors qu'il éteignait les lumières du couloir et refermait la porte de leur chambre, Agnès se redressa contre ses oreillers, ce qui, d'ordinaire, indiquait qu'elle désirait « parler ». Elle attendait toujours que la nuit tombe, qu'ils soient au lit pour aborder les sujets importants. C'était son espace, là où elle pouvait être franche, sans redouter le regard d'André ou de Bérangère, sans que ses paroles résonnent dans la maison.

– Ce garçon est plus intelligent que ses frères, avait-elle soufflé en remontant les couvertures au-dessus de sa poitrine.

Dans le vif du sujet.

– Il l'est. Je crois que Bérangère sera entre de bonnes mains.

Agnès se tourna vers lui, piquée au vif.

– Je veux dire... bredouilla Benedict, il saura la protéger.

– J'espère que tu as raison.

Les draps tremblaient.

– Agnès, tu n'as pas à te faire de souci, dit-il en posant doucement les lèvres sur son épaule nue. Je connais Valère, c'est un bon garçon.

Elle frissonna, fixant le mur devant elle. La tendresse de Benedict était agréable, mais elle ne la réchauffait pas.

Elle s'était sentie bête quand Valère avait évoqué ce langage commun, cette façon qu'ont les animaux de « communiquer entre eux ». Pourtant, il n'avait qu'exposé des faits. Valère connaissait les animaux, les côtoyait depuis son enfance. Jusqu'ici, quand Agnès mentionnait ses travaux, ses interlocuteurs hochaient la tête, admiratifs. Et c'était un fils de paysans, avec des mains puissantes et un dos musclé, qui pour la première fois se permettait de la défier. Il ne la provoquait pas, elle en était consciente, mais il avait secoué son édifice intérieur, l'obligeant à accepter que d'autres comprenaient son métier de traductrice, qu'il pouvait s'appliquer dans des lieux et des domaines différents. Valère était intelligent. Il n'avait pas parlé pour ne rien dire, ni fait de gestes brusques. André l'aimait beaucoup. Bérangère était folle amoureuse, et son père, même si Valère lui avait déjà ravi sa fille unique, y trouvait son compte.

– J'ai confiance en lui, reprit Benedict, le menton posé sur l'épaule de sa femme. Je connais bien ses parents.

Le médecin avait mis au monde les fils de Delphine et Maxime.

Épuisée, Agnès se tourna du côté de Benedict, l'embrassa doucement, très doucement. La journée avait été longue, et, tandis qu'il ouvrait ses bras pour l'accueillir, elle tenta d'effacer l'image de Valère enlaçant sa fille devant l'escalier. Elle sentit contre elle les battements de cœur de Benedict, ce rythme qu'elle connaissait si bien, si proche d'elle-même et pourtant si lointain à mesure qu'elle sombrait dans le sommeil.

Le lendemain, au petit déjeuner, Bérangère attendit que sa mère s'asseye avant de poser la question fatidique :

– Alors, il te plaît ?

Agnès attrapa nerveusement une tranche de pain qu'elle déchira en deux et en plongea une moitié dans son bol de café.

– Tu manges le pain nature maintenant ? remarqua sa fille, surprise. Depuis quand ?

Exaspérée, Agnès leva la tête.

– Je suis mal réveillée, répondit-elle en lâchant sa tartine, ou ce qu'il en restait, dans son bol.

L'épave s'enfonça dans le liquide chaud, refit surface et dériva jusqu'au bord. Agnès attrapa la croûte du bout des doigts et jeta le morceau de pain trempé dans la poubelle.

– Tu n'as pas répondu à ma question.

Bérangère, elle, semblait réveillée depuis longtemps. Ses cheveux attachés dégageaient son visage.

Agnès prit une grande inspiration.

– Pour ce que j'en ai vu, c'est un garçon tout à fait charmant, dit-elle en beurrant une autre tartine.

Apparemment, Valère faisait l'unanimité. Sa fille ne s'inquiétait pas pour André et Benedict. Sa mère avait toujours été plus difficile à convaincre.

– Il pourra revenir ?

Agnès leva le menton, mordit dans sa tartine et en avala presque la moitié sans prendre le temps de mâcher.

– Je suppose que oui, conclut-elle en portant son bol à ses lèvres.

Bérangère comprit qu'il n'était pas nécessaire d'en rajouter et nettoya ses couverts, son bol, fit sécher le tout sur le plan de travail et courut chercher ses affaires de classe.

Agnès se retrouva seule dans la grande salle à manger. Le café avait meilleur goût quand on prenait le temps de le boire. Elle entendit sa fille piétiner à l'étage, l'eau dans la salle de bains qu'André occupait toujours à cette heure-ci de la matinée. Benedict avait quitté la maison tôt.

Elle prit son bol à deux mains et s'approcha de la baie vitrée. Le soleil était déjà haut, le brouillard s'était dissipé très vite, la journée serait sans doute chaude et sèche. La fin de saison approchait, mais la douceur persistait. Les oiseaux se posaient encore dans les arbres, elle avait cessé de les compter. Le matin, l'horizon se parait d'une couleur plus douce qu'au crépuscule. Épuisée malgré une bonne nuit de sommeil, Agnès se tint là quelques minutes ; la veille, Valère attendait juste en dessous, ses bras semblaient si forts. Il n'avait pas levé la tête, et pourtant elle était persuadée qu'il savait qu'elle les regardait.

Qu'elle le regardait.

L'étreinte avait duré longtemps.

Bérangère dévala l'escalier, colla une bise gluante sur la joue de sa mère avant de partir au collège. Agnès l'observa quitter La Cabane, prendre le même chemin que Valère la veille, elle ne put s'empêcher de les revoir ; il savait qu'elle était là, au-dessus de lui, qu'elle attendait quelque chose. Elle était restée droite, immobile, à contempler ce trop beau jeune homme qui était entré dans sa vie comme un chien dans un jeu de quilles.

Au cabinet, entre deux patients, Benedict fit la liste des spécialistes qu'il avait côtoyés à l'université. Il devait reprendre contact avec eux, les persuader de se déplacer. Dans le cas contraire, ils enverraient de plus jeunes recrues « s'entraîner » aux Fontaines. Néanmoins, il fallait les rencontrer, les revoir, et Benedict n'avait pas le temps. Au mieux, il pouvait faire un saut en ville une, peut-être deux fois, mais il aurait besoin de quelqu'un sur place pour convaincre les citadins de quitter, le temps d'une journée, les grands boulevards pour les chemins tortueux des Fontaines.

Agnès serait parfaite. Elle possédait cette élégance incroyable, connaissait la plupart d'entre eux, son charme avait fait des ravages dans les rangs de l'université, et Benedict savait qu'à la seconde où les anciens la reverraient ils lui obéiraient, plongés dans leurs flirts de jeunesse, croyant pouvoir l'attraper dans leurs filets alors qu'elle les aurait déjà emmaillotés dans les siens. Agnès accélérerait les choses ; en sa présence, les médecins se décideraient vite.

Lorsqu'il lui présenta son projet, elle se sentit flattée. Que son médecin de mari, respecté aux Fontaines, ait besoin d'elle apparaissait comme la récompense suprême des années passées ici, à élever sa fille, à travailler à sa table, sans voir personne. Elle ne serait plus « la belle-fille d'André », mais celle grâce à qui les yeux des enfants, les colonnes vertébrales des fourmis blanches et les estomacs des maris seraient soignés, et bien soignés. On avait besoin d'elle pour que les choses changent aux Trois-Gueules. Quand elle apprit la nouvelle, son cœur se remplit d'une fierté soudaine. Une deuxième vie commençait. Même si Agnès avait toujours apporté un revenu supplémentaire au couple, Benedict restait maître à bord. Il avait accepté qu'elle parte et maintenant que leur fille était grande, il demandait de l'aide. Ce n'était pas tant le fait de revoir ses anciens soupirants qui l'amusait, mais plutôt de jouer un rôle dans l'expansion du cabinet de Benedict. Elle apporterait sa pierre. Et puisqu'elle passerait plus de temps en ville, elle verrait moins Valère, et cette perspective l'enchantait.

Quelque chose la gênait.

Quelque chose n'allait pas. Il était intelligent, sain d'esprit et de corps. Il travaillait dur. Bérangère l'aimait. Benedict l'aimait. André l'aimait. Chaque jour, à table, à l'heure du café ou dans la chambre conjugale, son nom surgissait au détour d'une conversation, ses exploits au lycée, à la ferme, à la coopérative saturaient les conversations. Agnès écoutait, placide. Tous ils adoraient le nouveau venu. Petit à petit, elle répugna à aborder le sujet. Il était trop présent ; dès qu'on prononçait son nom elle le revoyait, au bas de l'escalier, son corps immense qui serrait sa fille avec passion. Le détail de ses bras, son visage caché dans les cheveux de Bérangère, ses mains larges caressant doucement le dos de sa fille. Comment des doigts si lourds pouvaient-ils accomplir des gestes si légers ? Comment ce corps bâti par les travaux paysans était-il capable de se couler dans ces beaux habits ? Et cette sortie sur le langage, sur les animaux, qui lui avait cloué le bec, à elle, la femme du médecin, quadrilingue, diplômée, comment un esprit aussi ancré dans la terre des Fontaines avait-il pu lui tenir tête ? Valère était partout.

Au moment où Agnès accepta la proposition de Benedict, elle n'avait pas encore revu le jeune homme. Elle n'acceptait pas une telle présence chez elle, ne s'imaginait pas à table avec cet être qu'elle ne comprenait pas mais que tous aimaient. Avant de commencer son travail de chasseuse de têtes pour son époux, Agnès nia ce qui se passait en elle : les choses changeraient aux Fontaines, et vite. Elle était la première touchée ; elle ne s'en rendait pas compte, ou peut-être refusait-elle simplement de nommer ce qui la secouait, mais cette période fut le dernier moment de bonheur qu'elle connut à La Cabane. Après, les jours passés en ville, les déjeuners en compagnie d'hommes vieillissants qui occupaient des postes prestigieux dans des hôpitaux privés ne furent qu'un répit bienvenu, une parenthèse où, sans le savoir, elle puisait les forces nécessaires pour affronter ce qui se préparait de l'autre côté des falaises, là où Valère attendait, où cet enfant de seize ans aux allures d'homme travaillait la terre de ses parents. Oui, avant qu'elle ne le revoie, quelques semaines plus tard, Agnès ne se doutait de rien. Peut-être repoussait-elle un peu plus le moment où l'animal qu'elle tentait de dompter prendrait tellement de place qu'il faudrait se soumettre à lui.

Devant la maison

Valère termina son année de lycée deuxième de sa classe. Le premier était le petit-fils de Clarence, l'ancien maire. Il prenait des cours particuliers afin d'intégrer « une école importante », disait-il. Clarence avait toujours œuvré pour Les Fontaines ; son petit-fils, lui, semblait pressé de les quitter. On l'évitait beaucoup, il ne parlait pas aux autres, partait vite après les cours et arrivait le matin à la dernière minute. Il ne rentrait jamais à pied.

Tout le contraire de Valère.

Ses camarades se sentaient rassurés en sa compagnie. Il avait beau faire partie du trio de tête, on ne le considérait pas comme un intello, il bénéficiait du corps musclé d'un paysan, de la voix profonde d'un homme. Valère avait grandi avec deux grands frères idiots et méchants ; chacun connaissait plus ou moins son histoire, les monstres que Valère affrontait chaque soir, chaque matin. On lui demandait conseil, sur les devoirs à rendre, sur les filles aussi ; après tout, il sortait avec Bérangère, il avait été présenté à ses parents et Benedict l'adorait, les élèves le savaient, ils le voyaient serrer la main de son futur beau-père au Café, bavarder avec André quand ils s'asseyaient ensemble le dimanche après-midi. Valère était même devenu ami avec Clément, « l'homme-tout-seul » ; le prêtre avait eu besoin de bras supplémentaires pour déplacer les bancs la veille de la grand-messe. Souvent, Valère discutait avec lui de son enfance, des jours où ses parents l'emmenaient se confesser parce que c'était une façon de « bien commencer la semaine ». Clément riait. Valère mettait à l'aise quiconque se trouvait en sa présence. Il était fin, viril et réfléchi, il savait exactement quoi faire quelles que soient les circonstances ; ses amis du lycée, des adolescents à peine sortis de l'enfance, ne comprenaient pas comment il avait cassé aussi rapidement la coquille de son œuf. Sa peau portait encore les stigmates de la jeunesse, ses joues n'étaient pas tout à fait dessinées, des boutons peu visibles gonflaient sous son menton et sur son front, qu'il camouflait en laissant pousser ses cheveux. Son corps avait pris les devants ; ses muscles saillants n'allaient pas avec son visage. La carcasse d'un homme, la figure d'un enfant. C'était peut-être la raison pour laquelle on l'appréciait autant ; il était naïf et solide, sensible et constant. Tout ce qu'on attendait d'un garçon, tout ce qu'on attendait d'un adulte. La fusion de ces différents caractères – un assemblage étrange et attirant – construisit sa renommée, causant le bonheur de ses parents et la jalousie exacerbée de ses frères aînés.

Pendant des années, Valère et Bérangère s'étaient aimés comme un frère et une sœur, comme des meilleurs amis, ils avaient eu le temps de sentir leurs corps, leurs sentiments changer. Ils se connaissaient. Même quand une très jolie fille le séduisait, Valère n'oubliait pas cette première rencontre, sous le préau, quand Bérangère s'était moquée de lui: De tous les moments qui avaient suivi cette première fois, aucun à jeter. Ses souvenirs avec elle ne le mettaient pas mal à l'aise, ils s'étaient trouvés et compris, sans se disputer. Delphine et Maxime avaient aimé la recevoir chez eux, apprécié son franc-parler, cette façon de tenir tête à Aimé. Elle était différente des autres filles des Fontaines.

De la même manière, Valère avait plu à Benedict et André. Ils l'appréciaient, s'arrêtaient au village pour parler avec lui, prenaient des nouvelles de sa famille, souriaient quand Valère racontait les derniers exploits de ses frères. Ils étaient complices, jusqu'à un certain point ; un accord tacite s'était naturellement établi entre eux. Tant que Valère prenait soin de Bérangère, les deux hommes étaient des amis présents, une nouvelle famille, d'un sang différent. Bérangère et lui deviendraient le couple phare des Trois-Gueules, le fils de paysan et la fille du médecin. Ils seraient tout ce qu'André, Benedict et Agnès avaient désiré pour ce lieu qu'ils aimaient tant : une descendance parfaite.

Jusqu'à ce premier déjeuner chez les parents de Bérangère, Valère n'avait jamais réfléchi au sens du renouveau. Pour lui, Les Fontaines étaient un endroit sacré, il n'imaginait pas qu'on puisse l'étendre plus, ne voyait pas plus loin que le bout de sa propre ferme. Mais lorsque André avait parlé de son arrivée, des travaux colossaux entrepris pour tirer le hameau de sa désolation, lorsqu'il lui avait conté toutes les histoires de ceux, paysans, fourmis blanches, médecins, commerçants, qui avaient sué sang et eau pour que ce village soit plus qu'un simple tas de maisons abandonnées et d'animaux maigres autour, Valère avait soudain compris que l'amour qui l'unissait à Bérangère pourrait bouleverser le village. Leurs ressources étaient immenses : il avait le sang des Fontaines, connaissait les paysans, et serait bientôt, avec ses frères malheureusement, le propriétaire d'une ferme, la plus grande des Trois-Gueules.

Bérangère possédait l'argent, l'intelligence, la finesse d'esprit, on lui faisait confiance parce qu'elle était la fille de ceux qui soignaient les habitants. Ils accompliraient de grandes choses. S'ils restaient unis, l'argent et l'expérience feraient d'eux des amoureux utiles. Sûr de lui, Valère pariait sur l'avenir, certain que rien ne troublerait ses ambitions. Il aimait Bérangère, il aimait Les Fontaines. Ils pouvaient ne pas être oubliés. Marquer l'histoire, la petite, celle d'un hameau qui grandissait moins vite que ses habitants, ils avanceraient avec lui, grandiraient avec lui, et accepteraient de l'habiter, de lui insuffler la chaleur qui lui manquait.

Il n'y avait qu'une seule ombre au tableau : Agnès.

Il l'avait vue.

Quand ils se disaient au revoir, il l'avait vue.

Bérangère était chaude, son souffle irriguait son corps, ils s'étaient serrés, tout se passait si bien, les éléments paraissaient parfaitement alignés, rien ne pouvait plus, désormais, les empêcher de s'aimer. Les familles étaient au courant. On avait discuté, bu, mangé, ri. Il l'enlaçait entre ses bras rompus, son cœur était si proche du sien, si tranquille dans sa cage de muscles. Bérangère s'était approchée, ses yeux fermés battaient doucement. Juste avant qu'il ne s'extirpe de ses caresses, Valère avait levé les yeux, pourquoi exactement, il n'en était pas certain.

Elle était là. Juste au-dessus.

Derrière la baie vitrée.

Surpris, il avait blotti son visage dans les cheveux de Bérangère et respiré un grand coup, comme pour calmer une angoisse passagère, mais là, tout près, Agnès les fixait.

Non, elle le fixait.

Il en était sûr. Leurs regards s'étaient croisés, moins d'une seconde, moins d'une demi-seconde, elle l'épiait depuis la salle à manger, protégée par la vitre. Son cœur s'était mis à battre plus vite, plus fort, il avait craint que Bérangère ne s'en aperçoive, et quand il l'avait embrassée Agnès était toujours là, immobile, il ne regardait pas, mais elle était là et elle l'épiait derrière la vitre.

Au retour, le chemin lui parut moins long. Il ne s'était pas retourné parce qu'il aurait levé les yeux vers elle et il savait qu'il ne le devait pas : son regard n'avait plus rien de bienveillant, ses yeux n'étaient pas ceux d'une mère inquiète pour sa fille, non, ça n'avait rien à voir, il était parti vite et avait rejoint la ferme sans s'arrêter, il voulait lui échapper, il sentait encore ce regard sur lui et il ne le supportait pas. Il savait ce que ça signifiait, il savait que les choses auraient basculé s'il s'était retourné, mais il ne l'avait pas fait et il était fier d'avoir résisté, fier et terrifié.

Ce regard n'était pas celui d'une mère pour sa fille, mais celui d'une femme pour un homme.

À l'atelier Charrier, les machines neuves vrombissaient, les outils rangés dans un local à part se couvraient déjà d'une fine couche de calcaire qu'on nettoyait au vinaigre blanc. Une dizaine de personnes s'affairaient à l'intérieur. On transformait la pierre sur place, elle serait moins chère qu'ailleurs, et toujours d'aussi bonne qualité. C'était la seule issue possible.

Partout, on félicita le maire. Aucun ouvrier ne perdit son emploi, les salaires avaient été légèrement baissés deux ans auparavant, pour éviter les licenciements, mais, grâce à l'atelier, aux commandes qui affluèrent, les primes tombèrent une à une. Bien sûr, il ne faudrait pas dix ans avant qu'un autre extracteur copie la formule Charrier, mais ils étaient maîtres en leur domaine. Ils avaient parié sur Les Fontaines, construit les fourmilières, bâti le village sur des cendres chaudes. Les frères Charrier avaient, à leur façon, révolutionné le monde de l'industrie familiale, tenant tête aux compagnies internationales avec un simple rocher fêlé en trois, traversé par un torrent boueux. On les respectait. Leur pierre était la meilleure du pays. Même les fourmis blanches recevaient des compliments de la part des nouveaux venus qui disaient que travailler pour les Frères était « ce qui pouvait arriver de mieux ».

Après l'inauguration, les employeurs ouvrirent une cantine pour les ouvriers, alimentée par les produits locaux, propre et chauffée. De cette façon, les frères Charrier retenaient une faible part du salaire des fourmis blanches en échange d'un lieu agréable où déjeuner. Jusqu'ici, les ouvriers s'installaient autour de mauvaises tables à quelques pas des carrières où, couverts de poussière, ils dévoraient de la viande froide, des œufs durs, du pain de deux jours en buvant du mauvais vin. Plusieurs fois, lors des visites médicales, Benedict avait pointé du doigt la mauvaise alimentation des fourmis blanches. « Ils doivent se nourrir mieux s'ils veulent tenir dans ces carrières infernales. » Soit, les frères Charrier construisirent deux baraquements en dur à une distance raisonnable des carrières et de l'atelier. Assez éloignés pour avoir la sensation de quitter le travail pendant une heure ou deux, assez proches pour que le trajet à pied ne soit pas une perte de temps. Ils achetèrent la viande, le pain et les pommes de terre aux fermiers ; Delphine et Maxime acquirent plus de bêtes, cultivèrent deux acres supplémentaires pour fournir la cantine.

Ainsi, après les cours, Valère descendait chaque jour jusqu'aux carrières livrer la nourriture en prévision du lendemain. Les frères Charrier payaient chaque fin de semaine et donnaient la liste des denrées dix jours à l'avance. Un système bien huilé, où chacun gagnait ce qu'il avait à gagner : jamais plus que les frères Charrier, jamais moins que les fourmis blanches. Une pyramide solide, imprenable, nourrissait Les Fontaines, alimentait paysans et ouvriers, artisans et instituteurs. Les terres au nord, peu utilisées, appartenaient aux anciens qui n'avaient ni le temps ni les moyens de les cultiver. Parfois, les paysans les louaient à d'autres qui cherchaient de l'herbe pour les bêtes. Les hectares étaient gérés par les grandes familles, les enfants prenaient la place des parents, ils se mariaient et accouchaient d'autres gamins qu'ils éduquaient comme ils l'avaient été : seule la terre comptait. Qu'elle explose, qu'elle vive, qu'elle déborde. Ils la vénéraient, ils la dressaient comme on apprivoise un cheval fou qu'on fait danser sur deux pattes pour des spectateurs médusés. La terre donnait l'herbe, la pierre, l'eau, les arbres. La fortune des Fontaines venait d'elle, personne ne la gaspillait, ne la malmenait. On ne l'insultait pas quand les récoltes étaient mauvaises, on s'en prenait aux enfants, aux vieillards, à Dieu même, mais pas à la terre des Fontaines. Ses forces bouillonnaient, accordaient tout ce dont ils avaient besoin et plus encore, elles veillaient sur eux, et, quand elles emportaient un enfant, on pleurait longuement mais personne ne reniait la terre, personne n'élevait la voix contre les forces des Trois-Gueules, elles régissaient tout, elles n'avaient pas de nom, pas de forme, elles étaient le vent qui soufflait à travers les arbres, l'orage qui démontait les toits des maisons, les torrents énervés au pied des carrières, elles étaient le froid qui tombait brutalement à la fin du mois d'octobre, les cailloux qui s'enfonçaient dans les pieds nus des adolescents. Les forces étaient partout.

Valère grandit en respectant les montagnes et leurs palpitations ; la pierre le rassurait. Ses frères, en revanche, devenaient chaque jour plus insupportables. Leurs parents vieillissaient, chacun cherchait le moyen d'acquérir la ferme une fois qu'ils auraient passé l'arme à gauche. Le week-end, Valère travaillait pour l'atelier et la coopérative. Il entassait les provisions dans le hangar, négociait les prix avec les clients. Garçon honnête, il représentait Delphine et Maxime. Chaque samedi après-midi, on le trouvait là-bas, dans le foin, les sacs d'avoine, dans l'odeur du fumier et de l'herbe coupée. Malgré la poussière, la boue, les chiures qui couvraient son bleu de travail et ses bottes, Valère imposait sa présence, il avançait, courtois, vers ses clients, le visage fatigué mais ravi, les mains sales, il trouvait les mots, on oubliait son allure, son odeur. Personne ne le flouait, ne moquait ses joues crasses, ses vêtements tachés. Il travaillait dur, il émanait de son corps une telle puissance, une telle confiance qu'on ne le provoquait pas. Il avait grandi avec les deux plus grands crétins des Fontaines et réussi à les mater, ça forçait le respect.

Pourtant, Valère n'était jamais retourné chez Benedict et Agnès.

Quand il raccompagnait Bérangère, il s'arrêtait à la sortie du Chalet-Haut. Lorsqu'il croisait André le dimanche au Café, il s'asseyait volontiers à sa table, bavardait de l'atelier Charrier, du lycée, de la santé de Delphine. Ils riaient avec Bérangère ; mais, lorsque Benedict garait sa voiture devant l'église, Valère s'éclipsait rapidement. Les jours où son amie l'invitait, avec l'accord de ses parents, il prétextait un travail important : son frère n'avait pas aménagé la grange, il devait emmener les animaux, le vétérinaire passerait dans l'après-midi mais il ne savait pas quand, Delphine souffrait de solitude. Tout était bon pour éviter un nouveau déjeuner en compagnie d'Agnès.

Lors de leur première rencontre, il l'avait trouvée ravissante et sympathique, pas vraiment gentille, bienveillante peut-être, mais pas gentille. Valère ne savait quoi dire ni penser en sa présence : il était pétrifié. Elle le défiait ; dès qu'elle avait descendu l'escalier pour le saluer, cette première fois à La Cabane, dès qu'elle avait joué de son charme en lançant un bon mot sur les « femmes en retard », Valère s'était senti idiot, menacé. Submergé en sa présence, cherchant à la fois à lui plaire et à l'éviter. Elle serait, un jour, sa belle-mère, il apprendrait à soutenir ce regard qui l'avait traversé sans quitter son esprit depuis cet après-midi-là, en bas des marches. Agnès était une femme puissante, Valère l'avait su avant même de la rencontrer, mais il ne s'était pas préparé à ça : elle le dominait, par son regard, ses gestes, ses paroles drôles et brutales, ses yeux si clairs et perçants. Il ne lui échapperait pas.

La fête des Fontaines

La fête des Fontaines avait lieu au mois d'octobre. Habituellement, les propriétaires du Café élevaient un chapiteau sur la place principale et ouvraient la salle des fêtes pendant trois jours ; trois jours de danses, de jeux, d'alcool et de banquets. L'événement correspondait à la date d'ouverture de la première carrière Charrier. Depuis, on célébrait la renaissance du hameau. Villageois, paysans, fourmis blanches se retrouvaient pour oublier qu'ils étaient seuls au monde, ou, plutôt, pour honorer les forces des Trois-Gueules, trouver pendant cette longue beuverie le courage de continuer. Une fois par an, la famille Charrier se mêlait à ses employés ; le prêtre, d'ordinaire si timide, ne rechignait pas à lever son verre, et jusqu'au lundi Les Fontaines résonnaient des rires, des cris, des chants de ses habitants.

Le village grandissait et grossissait, ce n'était plus un nouveau-né mais un enfant dont le cœur palpitait tout près de l'église. Cette année-là, le chapiteau ne suffisait plus à accueillir tant de monde. Grégoire, fidèle au poste, délocalisa la fête des Fontaines en dehors du village.

Non loin de la ferme de Delphine et Maxime se trouvait un vaste étang en longueur, où les adolescents se baignaient l'été, situé sur une vingtaine d'hectares boisés appartenant à Grégoire. Le maire en avait ouvert l'accès à tous. Un lieu de vacances. Dès que le soleil chauffait la surface de l'eau, les enfants s'y précipitaient, jouaient sur ses berges, ramaient entre ses nénuphars, les garçons se jetaient dans l'eau pour impressionner les filles et, à l'extrémité sud, un ponton de bois accueillait les groupes d'adolescents qui bronzaient au soleil.

Le mois d'octobre fut terriblement chaud et sec, l'été promettait de percer jusqu'en novembre et les arbres n'avaient pas encore changé de couleur. Le week-end s'annonçait splendide, les berges de l'étang apparaissaient comme l'endroit rêvé pour la fête des Fontaines.

On assembla le chapiteau à une centaine de mètres de la rive. Enhardis, les plus jeunes montèrent des tentes en cercle autour de l'eau. Les propriétaires du Café installèrent des tables, des bancs, des chaises et étalèrent des couvertures sur l'herbe. Grégoire fit installer une estrade en bois et des musiciens jouèrent les trois jours jusqu'à deux heures du matin. Les paysans apportèrent boissons, nourritures, viandes sanguinolentes qu'on prépara sur d'immenses grilles ; les enfants sautaient partout, hurlaient quand l'un d'eux en poussait un autre à l'eau, les mères grondaient les plus imprudents, pendant que les élèves du lycée s'enfonçaient dans les bois, loin de leurs parents, pour échanger plus que d'aimables paroles.

Benedict et Agnès participèrent aux festivités. Ils y étaient attendus. André avait toujours été une figure de la fête ; dans sa jeunesse, il arrivait le premier au Café et ne rentrait qu'une fois le soleil levé. Chaque année, depuis son arrivée aux Fontaines, André avait dansé, chanté, mangé avec les gens du village. Moins souple, moins à l'aise que son père au même âge, Benedict se pliait, lui aussi, à l'exercice. Ses gestes maladroits amusaient les anciens, qui lui trouvaient des airs d'adolescent bourgeois.

Benedict ne ressemblait pas à André, ce qui ne le rendait pas moins honnête : il n'avait peut-être pas l'aisance joviale, la bonhomie de son père, mais sa façon de marcher, de parler, de détourner la tête quand l'émotion l'empêchait d'articuler rappelait ses airs d'enfant nouveau, ignorant des traditions, prêt à tout accepter pour se fondre dans la pierre et l'existence des gens qui la foraient. Même s'il n'était pas fait du même bois qu'André, qui semblait être un natif des Fontaines tant il s'était coulé dans le paysage, Benedict inspirait la bienveillance. Agnès n'y était pas pour rien : sa beauté naturelle agissait toujours, comme un onguent sur une blessure. Elle évoluait parmi les siens, sa fille était née ici, dans la maison familiale, filant le parfait amour avec un fils de paysan ; les deux tourtereaux amusaient les vieux, inspiraient les mères et les adolescentes.

Bérangère adorait la fête des Fontaines. Ses parents ne la surveillaient pas. C'était son année ; elle vivait les moments les plus forts de son grand amour, Valère et elle formaient un jeune couple aimé et respecté, elle brillait au lycée, ses parents ne l'ennuyaient pas, trop occupés à leurs projets respectifs. Son grand-père, pour son âge, semblait incroyablement vaillant. Les choses s'imbriquaient, chacun ajoutait sa pierre à l'édifice et la construction paraissait solide, indestructible.

Aux Fontaines, on croyait toujours que le danger venait de l'extérieur, qu'on aurait le temps de l'appréhender, personne ne se posait la question des tremblements intérieurs, des mouvements sous la surface, le soir, quand les cloches se taisaient. Seul Valère avait senti sa vie dériver légèrement de sa ligne, le dimanche des présentations, et, depuis ce jour, il s'efforçait de remettre le train sur les rails pour éviter un autre arrêt inattendu. La journée il allait en classe, le soir il raccompagnait

Bérangère, les week-ends il travaillait à la ferme ou à la coopérative. Aucun droit à l'erreur. Pas le temps de croiser Agnès, de rejouer le rôle du parfait petit ami. Il n'était pas l'amoureux idéal, quoi qu'en dise Bérangère. Il sentait la vache et la terre mouillée, ses frères étaient des idiots, l'argent de ses parents ne servait qu'à préserver la ferme. Il ne voyageait pas, il n'allait pas de l'autre côté des Trois-Gueules, pour la simple et bonne raison que rien ne l'intéressait là-bas. D'un naturel vivace, il gardait son sang-froid en toute circonstance. Pourtant, il grondait intérieurement, comme un animal traqué, roulé sur lui-même dans un coin de grange. Depuis ce premier déjeuner en famille, le vrombissement dans sa poitrine ne cessait pas, il pouvait le calmer, mais l'anéantir, impossible. Certain que « ça passerait », il avait, jusque-là, évité les situations gênantes. Jusqu'ici, ça avait été simple.

Les deux familles assistèrent à la fête des Fontaines. Delphine et Maxime tenaient une des plus belles fermes des Trois-Gueules, ils étaient nés ici. Valère était aussi aimé que ses frères passaient pour les abrutis du village, mais qu'importe, leurs affaires marchaient bien. Valère ne pouvait pas faire l'impasse. Il viendrait manger, boire, rire, nager avec les autres gars du coin, serrer la main de Grégoire, s'incliner devant le prêtre et embrasser Bérangère. Il resterait jusqu'à la fin des festivités. Autant ses frères n'étaient pas franchement attendus, autant lui se devait de danser avec sa bien-aimée, de plonger du bout de l'étang. De la même manière, André, Benedict et Agnès feraient bonne figure, souriraient, discuteraient avec les habitants. André pourrait toujours remonter à La Cabane, son grand âge lui permettait de s'éclipser. Trois jours au bord de l'eau, ivres de joie et de bière fraîche. Benedict y voyait un week-end de vacances bien méritées et André attendait ce moment avec impatience. Agnès n'avait rien contre une longue baignade et un barbecue géant avec les habitués. Un moment en famille : Benedict, André, Bérangère.

Et Valère.

Valère serait là. Il nagerait avec sa fille, mangerait avec eux, peut-être jouerait-il aux cartes avec André, peut-être allait-il, de nouveau, l'humilier publiquement en prétextant que les animaux, bien plus intelligents que les hommes, se comprenaient sans dictionnaire. Agnès aimait la fête des Fontaines, pas autant que son époux, pas autant que sa fille, mais elle passait toujours de bons moments au Café. Sauf que jusqu'ici elle n'avait pas eu à se contenir. Pour la première fois, elle admettait que la famille s'agrandissait, qu'un nouveau venu prenait, enfin, la place qu'on lui préparait depuis des mois. Valère était un bon garçon. Valère passerait la fête des Fontaines avec eux. D'accord. Après tout, trois jours. Dans la chaleur, près de l'eau. Sa fille était heureuse d'y participer, Agnès était heureuse de passer ce moment avec elle.

Avec eux.

Des massifs d'arbres denses et noirs bordaient l'étang. En deux endroits, là où la surface se courbait en un bel arc de cercle, une plage naturelle, légèrement inclinée, donnait sur un ponton. Des barques retournées séchaient sur la berge, les nénuphars masquaient une large partie de l'eau. L'été, les familles s'asseyaient sur la plage ou plantaient des tentes entre les arbres pour se protéger du soleil. Les feux de camp étaient interdits, sauf devant le ponton où les adolescents se retrouvaient autour des flammes, quand les oiseaux cessaient de tournoyer au-dessus d'eux. L'étang, les Bois-Noirs, le Café et les plateaux bordant les Trois-Gueules étaient les lieux de rencontre privilégiés des plus jeunes. Les adultes se promenaient plutôt de l'autre côté des Fontaines, au-delà du Chalet-Bas, sur les chemins contournant La Cabane. Au fil du temps, le village se séparait en zones réservées ; seule la fête des Fontaines rassemblait encore tous les habitants et toutes les générations.

Après sa journée au cabinet, Benedict emmena André et Agnès en voiture jusqu'à la lisière des bois avant de continuer à pied. Le chemin était bordé de guirlandes, de panneaux en bois colorés indiquant la plage, le chapiteau, les barques à disposition des habitants. Benedict tenait sa femme par la main et André, fier comme un paon, avançait lestement, sa canne bien appuyée devant lui. Tous trois formaient un groupe solide, une entité indivisible, et lorsqu'ils arrivèrent devant le chapiteau, à la sortie du bois, les regards se tournèrent vers eux. Agnès laissa échapper un cri de surprise : le chapiteau faisait deux fois la taille de celui que les gérants du Café montaient sur la place, des bancs avaient été installés sur un appontement sous lequel des pilotis fermement plantés dans le sol accueillaient des enfants qui jouaient à cache-cache. Les tables étaient couvertes de nappes en tissu écarlate. Entre les bois et la plage, les quatre musiciens répétaient sur la scène, jouant les morceaux que les anciens demandaient, s'exerçant avant la tombée de la nuit. Un drapeau, de la même couleur que les nappes, couvrait la cloison temporaire derrière eux. Déjà les habitués s'amassaient, les plus vieux dansaient doucement avant de s'affaler sur des chaises rondes disséminées dans l'herbe. Dans la soirée, le crépuscule teinta la surface de l'étang d'un rouge pâle mêlé de reflets bleus, et, tandis que Benedict serrait les mains des uns et des autres, Agnès s'immobilisa devant un spectacle aussi étrange.

Elle perdit la notion du temps, des couleurs, n'entendit plus le son des guitares qu'on accordait, les éclats de rire du maire et de son épouse, les cris des enfants sous l'estrade. Elle regardait la surface de l'eau, des vaguelettes propulsaient les nénuphars vers la rive, sans violence, sans bruit. Son corps bougeait au rythme de ces lents remous. Autour d'elle, les femmes s'affairaient, enlaçaient des hommes qu'elles connaissaient depuis l'enfance. Les fourmis blanches prenaient place autour des tables et buvaient une bière locale très forte. Plus les couleurs de l'eau changeaient, plus Agnès se sentit apaisée, loin des siens, de cette banlieue sordide où elle était née et qu'elle avait quittée sans remords. Là, devant la carcasse d'une barque renversée à ses pieds, l'odeur de la viande grillée infiltrant ses narines, elle se demandait comment les hommes vivaient, ailleurs, s'ils supportaient le bruit, les cris, la fumée, les réveils à l'aube et la nourriture de mauvaise qualité, le tramway, l'autobus, elle se demandait si elle aurait aimé cette vie-là, si les restaurants et les bars étaient aussi chics que ça. Sa fille était grande et belle, son mari respecté, elle travaillait. Elle adorait Les Fontaines, aimait La Cabane plus que tous les autres endroits où elle avait vécu jusqu'ici.

La nuit tombait et cela ne l'effrayait pas ; en ville, dès que les ombres couvraient les immeubles, les squares, les trottoirs, les gens rentraient précipitamment, ils redoutaient les impasses, les parcs fermés et les Abribus. Ici, quand la nuit tombait, tout devenait calme, nul ne s'inquiétait, on oubliait que la lumière baissait ; cela n'avait aucune importance, elle revenait le lendemain et baignait les Trois-Gueules, elle recouvrait tout. Et c'est ce qui l'enchantait ; quoi qu'il arrive, aux Fontaines, la lumière engloutissait les hommes.

Vers vingt heures, les guirlandes illuminèrent les bords de l'étang, dessinèrent des oiseaux géométriques dans les arbres, des torches allumées autour de l'estrade et des bougies brûlaient par dizaines. Le fumet des viandes embaumait l'air, des chiens errants traînaient sous les grilles, attendant qu'un morceau tombe. La musique berçait les habitants ; certains dansaient, d'autres les regardaient en riant, assis sur leurs chaises, des enfants épuisés s'endormaient sur les genoux de leurs parents, et, lorsqu'on applaudit les musiciens, Agnès, depuis la plage, entendit des pas derrière elle.

– Tu n'es pas avec les autres ? demanda joyeusement Bérangère.

Cheveux lâchés sur les épaules, sa fille s'était faite belle. Elle avait maigri, sa robe blanc crème enveloppait parfaitement sa taille et ses hanches. Elle tenait ses chaussures à la main, ses pieds étaient bruns de boue, de sable et d'herbe.

– Non, je suis venue admirer le paysage, répondit doucement sa mère sans la quitter des yeux.

Derrière Bérangère, dans la pénombre, Valère se tenait bien droit. Il attendait son tour, les bras tendus de chaque côté de son torse large. Il s'avança sans un bruit et tendit la main à Agnès.

– Bonsoir, madame, souffla-t-il.

Les lumières des guirlandes dansaient sur son visage et lui donnaient une drôle d'expression qui fit sourire Agnès. Elle s'approcha et le tint quelques secondes contre sa poitrine, comme elle avait fait la première fois, puis recula d'un pas, et le dévisagea, toujours souriante.

– On ne serre pas la main des dames, Valère. Ça signifie que vous les trouvez laides, lança-t-elle, ce qui déclencha le fou rire de Bérangère.

Il tenta de sourire à son tour mais sa mâchoire répondait mal. Il sentait encore son souffle dans son cou, son corps frêle contre le sien.

– Je vous demande pardon, madame, dit-il en s'avançant au-devant de Bérangère, ses yeux fous rivés sur l'étang.

Agnès soupira.

– Ne m'appelez pas « madame ». Mon prénom est Agnès. Vous faites partie de la famille maintenant.

Elle ne souriait plus. Valère lui tenait tête, il ne riait pas, ou peu, à ses plaisanteries, son ton était glacial.

– Je vais rejoindre ton père, annonça-t-elle en tournant les talons. (Puis, alors qu'elle s'éloignait vers la scène où Benedict discutait avec Grégoire, elle cria :) Faites en sorte que Bérangère ne se noie pas, je vous fais confiance, Valère !

Et elle disparut de l'autre côté de la plage, sous les feuillages, dans le brouhaha des voix.

Cette fois-ci, Valère sourit franchement. Appuyée sur son épaule, les yeux mi-clos, Bérangère se laissait bercer par la musique. Elle leur parvenait, étouffée, entrecoupée des bruits du vent et de l'eau. Ils restèrent ainsi une bonne dizaine de minutes avant qu'il prenne sa main dans la sienne et murmure :

– Je suis content d'être ici avec toi.

Elle baissa la tête, l'air faussement triste.

– Moi je ne suis pas contente, Valère.

Il s'immobilisa.

— Je ne suis pas contente, je suis heureuse, dit Bérangère en souriant.

Puis elle le tira en arrière. Ils s'enfoncèrent dans la
pénombre en s'éloignant de l'étang, où les nénuphars
tremblaient à la surface de l'eau.

Les eaux profondes

Au matin, des canards aux plumes sombres s'enfonçaient dans l'eau, leurs pattes gigotant à la surface. Valère entendit le chant des oiseaux, les bruits des feuilles que le vent gonfle, de l'herbe sous ses pieds, encore humide. Autour de lui, les tentes fermées ressemblaient à d'énormes sachets de thé échoués sur le sol.

Sur l'estrade, des mégots mêlés à du verre brisé couvraient les planches. L'odeur de viande froide persistait autour de l'étang. Les nappes tachées agonisaient. Dans quelques heures, l'équipe de Grégoire les remplacerait, balayerait la scène, l'estrade, déballerait des monceaux de nourriture, nettoierait les grilles, retournerait les barques sur la rive jusqu'à l'arrivée des plus âgés qui avaient choisi de passer la nuit chez eux, au chaud. Une cinquantaine de personnes dormaient sur place, certains ronflaient encore. Bérangère rêvait, emmitouflée dans ses couvertures, quand Valère quitta la tente. Dans la fraîcheur matinale, il se sentit bien ; personne ne le regardait, ne l'intimidait. Tard dans la nuit, des frimeurs avaient tenté de se baigner ; leurs vêtements séchaient sur le ponton où deux types visiblement fatigués cuvaient leur bière.

Valère avait peu dormi. Il s'était couché vers deux heures, ivre de danse, de nourriture, de jeux avec les autres fils de paysans. À son tour, Bérangère avait rapidement sombré, mais Valère s'était senti prisonnier, son cœur battait trop vite dans sa poitrine pour qu'il s'endorme. Vers six heures, un oiseau avait donné des coups de bec près de leur tente, et quand il était sorti, la beauté de l'étang l'avait frappé de plein fouet.

L'endroit était magnifique. La brume montait dans le ciel et s'évanouissait dans les nuages. Les animaux profitaient du sommeil des hommes pour grappiller leurs restes près des tables. Il voyait les écureuils fuir dans les troncs d'arbre ; derrière les tentes, la forêt bruissait, elle se réveillait bien avant eux, peut-être ne dormait-elle jamais. Les canards plongeaient dans l'eau et remontaient en claquant du bec. Valère se sentait porté au creux d'une paume douce et géante, tout semblait si calme, il aurait aimé étirer ce moment longtemps.

À sept heures, les premiers employés municipaux arrivèrent, vêtus de bleus de travail noircis. Ils traversèrent la plage et ouvrirent de larges sacs qu'ils remplirent des détritus. Ils ne parlaient pas. La veille, ils avaient participé à la fête. Valère les regarda s'affairer autour des tables, puis vint à leur rencontre et aida les malheureux jusqu'à ce que les dormeurs s'extirpent de leurs tentes. Ils sortaient un par un, les paupières froissées, les cheveux en bataille. Ils puaient. Les filles, si jolies le soir, avaient mauvaise haleine et rejoignaient la rive pour s'asperger le visage d'eau fraîche. Elles portaient de longs t-shirts, des chemises trouées ou des pulls trop larges qui empêchaient Valère de distinguer les courbes de leurs corps. Au petit matin, les habitants étaient fatigués, heureux mais fatigués, sales et silencieux.

Quand les adolescents se nettoyèrent, les employés municipaux les regardèrent en souriant, l'œil moqueur, comme si cette époque, pour eux, s'évaporait déjà. Ils jalousaient ces enfants qui n'en seraient bientôt plus et qui profitaient des derniers moments de liberté qu'on leur accordait.

Valère déambula entre les tables à la recherche de bouteilles vides et de serviettes déchirées, jusqu'à ce que le maire débarque en grande pompe, propre et rasé, habits repassés et chaussures impeccables. Il apportait la nourriture pour la journée. Plus tard, un autre groupe se prépara sur la scène, et tout recommença, personne ne pouvait dire quel jour de la semaine s'achevait tant la fête des Fontaines tirait ses habitants hors du temps. La musique rythmait ces trois jours, chacun acceptait de ne plus penser à rien d'autre qu'au voisin qui racontait comment ses enfants grandissaient, qu'aux barques sur la berge, qu'aux adolescents qui fuyaient dans les bois.

Bérangère émergea vers dix heures et demie. Le soleil était déjà haut, les enfants se baignaient, les parents buvaient du café fort, mangeaient des brioches chaudes que le boulanger gardait dans d'immenses caisses en plastique. Valère en était à son troisième petit déjeuner quand sa belle posa ses lèvres sur les siennes. Bérangère avait dormi comme un loir. Elle prit un gobelet, le remplit à ras bord, se servit deux brioches et se dirigea sur le ponton, où elle s'assit, encore enfouie dans son sommeil, et dégusta son butin sans bruit, avec application. Valère sourit en la voyant concentrée sur son petit déjeuner. Chaque fois qu'ils mangeaient ensemble, il avait l'impression que la nourriture était le pilier de la vie de Bérangère, elle adorait manger, pas forcément beaucoup, mais bien, et prenait toujours un air très sérieux quand elle mâchait. Lorsque Valère engageait la conversation, elle répondait par monosyllabes, l'air de dire : « Tu m'embêtes, tu vois bien que je mange. »

Rapidement, la rive aménagée s'emplit à nouveau des habitués. Le groupe jouait sur la scène et les enfants, sous l'estrade, s'amusaient à fuir le regard de leurs parents, qui se fichaient royalement de savoir où se cachaient leurs bambins. Grégoire fit un discours émouvant à propos des Fontaines, de son amour inconditionnel pour « tous ceux qui étaient nés sur cette terre », de la « joie indicible » qu'il ressentait quand il voyait les habitants réunis une fois par an lors de cette fête « mémorable ». Son prédécesseur, assis au premier rang, abrégea son discours en sifflant gentiment. S'ensuivit une salve de moqueries que le jeune maire reçut en levant la main vers ses fidèles.

– Maintenant passons à table, même si je vois que la plupart d'entre vous ont pris un peu d'avance.

Valère emplit deux gamelles de pommes de terre, de lard et de riz, esquiva les conversations pour rejoindre Bérangère qui sortait de l'eau en s'agrippant au bois mouillé du ponton. Tremblante, elle s'emmitoufla dans une serviette de bain grise qu'elle avait étalée au soleil et souffla bruyamment : elle venait de traverser quatre fois l'étang, ses muscles demandaient grâce. L'odeur du lard lui ouvrit l'appétit, qui ne s'était pas vraiment refermé depuis son petit déjeuner, et les deux amoureux prirent le repas en tête à tête, leurs assiettes en équilibre sur leurs jambes croisées. Ils se sentaient à leur place, réchauffés, loin des tables d'où montaient des éclats de rire ridiculement caverneux. Valère aimait Les Fontaines et leurs habitants, mais plus il grandissait, moins il supportait l'obligation sociale qu'imposait le village. Il ne voulait pas être de toutes les fêtes, de tous les mariages, de tous les enterrements. Certaines personnes comptaient plus que d'autres, il prenait le temps nécessaire pour les gens importants. Valère ne croyait pas qu'on puisse aimer inconditionnellement toute personne du même sang, de la même terre, du même village. Il n'aimait pas ses frères aînés et n'en avait pas honte. En revanche, il aurait donné sa vie pour Antoine. Et Benedict comptait plus que ses propres oncles. André était le grand-père qu'il n'avait pas connu et il adorait passer du temps en sa compagnie. Le discours de Grégoire l'affligea ; personne n'aimait, sans juger, tous les êtres nés au même endroit, pour cette raison unique. Cela n'avait pas de sens. Valère ne pensait pas que l'amour pouvait être transformé en tradition chauvine, il refusait qu'on le pousse à se comporter comme un ami avec des gens qu'il connaissait à peine. Il était courtois, aimable, toujours prêt à rendre service, mais ça n'avait rien à voir avec l'amour véritable qui liait des amis, des amants, des maris et des femmes. En mangeant son lard fumé au bord du lac, il comprit que Bérangère, parce qu'elle s'était, elle aussi, retirée de la fête, partageait son affliction ; il avait trouvé, avec elle, quelqu'un qui différenciait ceux qui avaient de l'importance, et ceux qu'on pouvait, même si on était né au même endroit, oublier.

André, Benedict et Agnès avaient dormi à La Cabane. Ils arrivèrent à l'étang peu avant une heure de l'après-midi, morts de faim, et André se rua sur les assiettes. Le médecin et sa femme cherchèrent Bérangère des yeux, et quand Benedict eut enfin distingué sa fille et Valère sur le ponton, Agnès partait déjà de l'autre côté, en direction de l'estrade, saluer le maire. Le médecin la suivit, laissant les adolescents terminer leur repas tranquillement, loin des adultes, loin des rires, loin de la musique, et s'installa près de son père, qui entamait sa deuxième assiette sous les yeux écarquillés de son voisin. Benedict le laissa manger à sa guise et attendit que la file devant le barbecue rétrécisse pour demander sa part. Autour de lui, les conversations allaient bon train ; l'atelier Charrier, les carrières Charrier, le collège, le lycée Charrier alimentaient la rumeur, chacun y allait de sa petite histoire. Benedict écoutait les cancans en souriant, son verre et son assiette vides attirèrent l'attention de son père qui ne cessait de le sermonner :

– Mais enfin, va chercher à manger ! Un médecin, ça mange !

Il ne répondait pas, profitant de sa journée comme on déguste un très bon vin, avec patience et dévotion, se demandant pourquoi Agnès et lui ne venaient pas plus souvent à l'étang. Elle aimait nager, il aimait la regarder nager.

– Je vais me baigner.

La voix d'Agnès le surprit dans ses pensées.

– Tu ne veux pas manger quelque chose avant ? dit-il en tendant son assiette vide à sa femme, qui la refusa d'un geste de la main.

– Je mangerai après. Tant qu'il n'y a personne dans l'eau, je veux en profiter.

Elle était belle ; Benedict se sentait vide quand elle était là. Parmi toutes les femmes présentes à la fête des Fontaines, Agnès rayonnait. Le temps avait modifié ses traits, son corps, son allure, mais elle gardait son élégance intacte : un trésor qu'on protège.

Elle s'éloigna vers la plage, où elle posa le sac en osier qu'elle gardait toujours à son bras dès qu'elle quittait La Cabane. D'un geste gracieux et rapide, elle retira sa robe, la plia, la rangea sous un livre. La plage était déserte. Hormis Valère et Bérangère, affalés sur le ponton, les adolescents préféraient manger à table.

Benedict fixa sa femme un long moment. Chaque mouvement semblait précieux, doux et sec à la fois. Son maillot de bain noir lui faisait une ligne de jeune fille. Sa poitrine, menue et ferme, remontait sous la pression du maillot et, quand elle se leva pour marcher jusqu'à l'étang et s'enfonça doucement dans l'eau, Benedict remarqua ses jambes, plus minces que lorsqu'il l'avait rencontrée. Au fil des marches en montagne, des vallées traversées et des randonnées avec sa fille, elle s'était bâti un corps athlétique, légèrement arrondi aux hanches. Sa peau était moins douce, le temps travaillait, se posait là où on lui laissait de la place, mais, vue de l'estrade, Agnès n'avait rien à envier aux actrices de cinéma que les célibataires reluquaient dans les magazines. Lorsqu'il détourna enfin les yeux pour voir si la file d'attente diminuait, il comprit qu'il n'était pas seul à fondre pour Agnès ; les hommes lançaient des regards estomaqués vers la plage, où il ne restait que son sac et sa serviette. Benedict sourit. Elle était si belle. Belle et mystérieuse, même pour ceux qui la connaissaient bien. Elle choisissait soigneusement ce qu'elle disait, ce qu'elle montrait, elle était capable de cacher sa douleur, son chagrin, sa colère, il était tombé amoureux d'elle parce qu'il ne pouvait pas la posséder. Ils vivaient dans un lieu reculé, et, après tout ce temps, il lui arrivait encore de penser qu'il ignorait tout d'elle. Elle détenait cette force qu'il ne possédait pas, cette capacité à se mouvoir gracieusement où qu'elle aille, à donner l'illusion de maîtriser les éléments qui l'entouraient, à inspirer les personnes qu'elle rencontrait.

La nage

Agnès s'habitua lentement à l'eau.

Elle la pensait plus chaude. Ses pieds s'enfoncèrent dans la vase qui recouvrit ses orteils, ses chevilles. Lorsqu'elle fut dans l'eau jusqu'au nombril, elle s'élança en avant, tel un poisson pâle et longiligne, et fit des mouvements de brasse rapides pour se réchauffer. À la surface, les nénuphars glissaient sur sa peau quand elle avançait entre les lignes presque effacées des vols de canards.

Elle n'entendait plus les voix au loin. L'odeur de la nourriture avait laissé la place à celle de la terre mouillée. L'eau était bonne. Agnès évoluait, souple et légère, comme si elle avait toujours vécu avec les poissons. À trois cents mètres de la plage, elle dériva en planche puis se retourna vers le ponton, où elle distingua les deux silhouettes. Ils se reposaient. Bérangère, couchée sur le bois, utilisait le ventre de Valère comme oreiller. Adossé contre le pieu où parfois des barques amarraient, Valère lui caressait les cheveux. Agnès était déjà venue ici ; quand Benedict travaillait encore avec son père, ils avaient eux aussi dormi sur ce ponton. Bérangère somnolait, rassurée, sur le torse de celui qu'elle épouserait un jour, et Valère la protégeait ; cependant, d'où elle se trouvait, Agnès voyait sa tête qui partait de travers, comme si son corps se désarticulait naturellement. Jusqu'au cou, ses membres soutenaient le poids de Bérangère, mais le visage de Valère était tourné vers l'étang.

Son visage était tourné vers Agnès.

La chaleur devint pesante. L'eau lui parut tout à coup brûlante ; elle remua les jambes et les bras comme un enfant paniqué qui apprend à nager. Elle ne savait plus quoi faire. Valère la regardait. Elle avait nagé pour s'éloigner de la fête, pour ne plus voir personne, pourtant elle s'était retournée et Valère la regardait. Avant qu'elle ait pu dire un mot, ou même agiter les bras en direction du ponton, elle vit la plage, les arbres, les nénuphars tourner autour d'elle, pris dans un manège infernal, et son corps devint lourd, très lourd, attiré par les profondeurs.

Un héros

Lorsque Agnès s'éveilla, ses paupières battaient comme deux papillons. On la portait. Sa tête reposait contre la peau mouillée d'un homme, elle sentit sous sa joue des pectoraux puissants. Le soleil l'éblouit. Son corps refusait de lui répondre. Au loin, les voix des habitants se rapprochaient, elle ne sentait plus l'eau ni les nénuphars. Celui qui la portait prenait soin de maintenir ses jambes au-dessus de la surface. Entre ses bras, elle se sentait comme un nourrisson incapable de bouger, de se défendre.

Autour d'elle, le paysage devint moins flou, ses yeux s'habituèrent peu à peu à la lumière et quand Agnès recouvra ses esprits, elle était encore dans l'étang, porté par un inconnu dont les bras étaient doux et musclés. Elle tenta de se remémorer les derniers instants avant son évanouissement. Cet homme l'avait sauvée de la noyade. Elle se souvint de Bérangère et Valère sur le ponton, de ses jambes et ses bras s'agitant sous l'eau. Visiblement, quelqu'un l'avait vue et secourue, elle entendait des cris de plus en plus proches, l'homme avançait vers la plage.

Agnès ne s'était jamais évanouie auparavant. Et elle ne s'était jamais réveillée dans d'autres bras que ceux de Benedict. Son sauveur l'avait arrachée à une mort douloureuse ; de la scène où le groupe jouait, personne n'aurait vu ou entendu la femme du médecin sombrer. *Ça aurait pu être pire*, pensa-t-elle, tremblante, en appuyant sa tête contre le torse de l'homme. Elle aurait pu y passer. Alors qu'elle était en pleine forme, dans un endroit magnifique, en compagnie de gens qu'elle aimait. Elle aurait pu mourir ici, mourir bêtement, dans des eaux sales et tièdes.

À mesure qu'ils avançaient, prudemment, en direction de la plage où des dizaines de personnes attendaient, l'angoisse monta en elle. Agnès avait provoqué un événement, elle s'était fait remarquer, comme une gamine. Maintenant, le village entier la fixait. Elle se sentit soudain honteuse. Apeurée, elle leva les yeux vers son protecteur, cherchant une parole réconfortante, et, quand celui-ci pencha sa bouche vers son cou en murmurant : « Je vous tiens, tout va bien », elle faillit s'évanouir de nouveau.

La voix de Valère la fit trembler de plus belle.

Il la portait comme une brindille, elle semblait si fragile, si démunie entre ses bras. Sa peau était douce et ferme, ses muscles, contractés sous les doigts d'Agnès, ondulaient. Son torse, un peu pâle, sentait la forêt, le foin. Cette odeur la réconfortait. Mais pourquoi lui ? Pourquoi fallait-il qu'il la tienne si fort contre elle, et qu'elle ait envie qu'il marche moins vite, qu'il reste un peu plus longtemps dans l'eau ? Ses bras puissants l'accueillaient comme un berceau, elle se sentait diminuée, épuisée par l'effort. Valère était le seul à l'avoir vue se noyer, il avait plongé, nagé pour la rejoindre et l'avait portée jusque-là, telle une toute petite fille, ce n'était pas Benedict qui était venu à son secours mais ce jeune homme qui l'évitait depuis leur première rencontre, ce jeune homme avec qui elle avait échangé beaucoup de regards et peu de mots. Il la portait, en prenant soin de ne pas la brusquer, et elle voulait se laisser porter.

À dix mètres de la rive, elle sentit des bras nouveaux la tirer en avant. Les habitants avançaient dans l'eau, l'odeur n'était plus la même. Ils l'arrachèrent à la peau de Valère, à la vase, aux nénuphars, elle devinait leurs regards apeurés sur elle, ils voulaient qu'elle fasse un signe, elle reconnut parmi les visages celui de son mari qui se pencha tandis qu'on la déposait sur la plage et que Grégoire l'enveloppait dans une serviette de bain.

— Qu'est-ce qui s'est passé, Agnès ? gémit Benedict en prenant son pouls, tenant son torse bien droit, la main gauche appuyée sur son dos.

Les gens l'encerclaient.

— Ce n'est rien, la chaleur. J'aurais dû manger quelque chose. Tu avais raison.

Elle parlait mécaniquement, disait ce qu'il voulait entendre. Ce qu'ils voulaient entendre. Agnès ne voyait plus Valère, les curieux faisaient un cercle autour de Benedict, l'horizon avait disparu.

— Rentrons, conclut Benedict en l'aidant à se lever.

Elle tint difficilement sur ses pieds. Soutenue par son mari et Grégoire, elle remonta la butte jusqu'à la scène où les musiciens ne jouaient plus et prit le chemin de terre. Elle voulut se retourner pour voir s'il était là, mais elle continua de marcher, le cœur battant. À ses côtés, Benedict répétait : « Tout va bien, tout va bien », plus pour lui-même que pour sa femme. *Il n'aura jamais la force d'André*, pensa Agnès. *Jamais.*

Valère n'était pas sorti de l'eau. On lui avait pris, arraché Agnès des bras pour l'allonger sur la plage, pour que Benedict s'occupe d'elle, alors même qu'il ne l'avait pas vue s'enfoncer dans l'étang. Pendant que les curieux s'éloignaient de la berge mouillée, Valère était resté dans l'eau jusqu'au nombril. Il ne pouvait pas sortir, pas encore, il attendait que, là-dessous, ça se calme. S'il avait suivi le troupeau, peut-être Benedict et Bérangère auraient-ils compris.

Impossible.

Il n'y était pour rien, il avait porté secours à une femme en train de se noyer et il attendait, bêtement, seul, dans l'eau, que son corps cesse de lui jouer des tours. Il bandait « comme un âne », aurait dit André, et il avait honte. « Ce genre de choses arrive », il était bien placé pour le savoir ; récemment, d'ailleurs, ça lui arrivait très souvent, quand il s'y attendait le moins. Et chaque fois il se disait que ce n'était pas grave, et quand ça arrivait de nouveau il se le répétait encore. *Encore.*

Sa gêne n'était pas causée uniquement par son sexe gonflé. Avant de perdre connaissance, Agnès s'était tournée vers eux, vers lui, elle avait fixé le ponton un long moment et il avait accroché son regard comme on abat une hirondelle en plein vol. Bérangère dormait sur son ventre, il profitait du soleil, appuyé contre le pieu de bois, et tout à coup elle avait recommencé, comme le premier jour, à La Cabane. Il s'était senti prisonnier, incapable de bouger, de tourner la tête. Elle le regardait, lui, elle s'était éloignée de la fête et elle le regardait, et il soutenait son regard, impossible de baisser les yeux, elle était là pour lui.

Agnès avait coulé. Il l'avait vue nager vers la rive opposée, ses bras dessinant de drôles de mouvements, comme cassés, et sa tête avait brusquement disparu sous la surface. Valère s'était levé d'un bond, réveillant Bérangère. Après un fabuleux plongeon, il avait nagé le plus vite possible pour la sortir de là. Essoufflé dans l'eau, la peur agitant ses muscles, il aurait voulu hurler.

En la ramenant jusqu'à la plage où Bérangère attendait, fébrile, en compagnie de son père et des habitués de la fête, il avait senti sa peau contre la sienne ; elle était réveillée, saine et sauve, serrée contre lui comme s'ils étaient seuls au monde, seuls dans l'eau, si proches pour une fois, il avait murmuré : « Je vous tiens, tout va bien », et on lui avait arraché Agnès des mains, sans un merci, sans un regard, il ne l'avait plus vue, les habitants bloquaient le passage jusqu'à elle, formant un cercle autour de Benedict. Quelques minutes plus tard, le couple quittait la fête, aidé par Grégoire. Valère était resté dans l'eau, triste et couvert de honte.

Il eut rapidement froid, la chaleur retombait et l'adolescent quitta l'étang lorsqu'il aperçut Bérangère s'impatienter sur la plage. Il tremblait de tous ses membres.

– C'est fini, Valère. Ma mère va bien, dit-elle en le couvrant.

Il lui adressa un pauvre sourire, au bord des larmes, et se dirigea vers leur tente, Bérangère sur ses talons. Les autres étaient retournés près de la scène. Ils avaient déjà oublié. Déjà.

Il ouvrit la fermeture Éclair et s'effondra sur les couvertures. Les battements de son cœur résonnaient dans son crâne. Incapable d'aller plus loin. Incapable de dormir. De réfléchir.

– Valère ?

Bérangère s'installa doucement à ses côtés et lui caressa la nuque.

– Merci. Merci beaucoup.

Un pauvre sourire. Au bord des larmes.

Les nouveaux médecins

Benedict en avait eu l'idée avant la naissance de Bérangère. Attirer des spécialistes. Lui seul, avec les meilleurs assistants du pays, ne pouvait encadrer toute une population, si robuste soit-elle. On devait s'occuper de ses yeux, de ses dents, de ses estomacs, surveiller son sang, son poids, ses poumons. Les enfants naissaient plus souvent, les vieux mouraient moins vite, il était débordé. Quelques mois après la fête des Fontaines, Benedict engagea un assistant. Le médecin vieillissait ; à présent, il comprenait pourquoi son père, au même âge, avait eu besoin de son fils au cabinet.

Benedict rêvait que sa fille suive la voie qu'il lui traçait, elle avait accès à ses livres de biologie, d'anatomie, elle savait comment il soignait les gens, comment il annonçait aux familles qu'il n'y avait plus rien à faire et que, dorénavant, il fallait « faire en sorte que le malade souffre le moins possible ». Pourtant, Bérangère répondait toujours vaguement quand son père demandait ce qu'elle pensait faire plus tard. Professeur, libraire, boulangère, athlète, des réponses toujours différentes. Elle souhaitait vivre avec Valère, se marier avec Valère, rester aux Fontaines avec Valère. Quoi qu'il arrive, elle accomplirait « quelque chose pour Les Fontaines ». Jaloux, Benedict imaginait que sa fille était plus attachée au village qu'à sa propre famille. Malgré son âge, elle avait une vision claire et pragmatique du monde autour d'elle. En parfaite santé mentale et physique, elle fréquentait un beau garçon, travailleur avec ça, qui donnait tout son temps à la ferme familiale. Elle gardait en main les pièces d'un puzzle qu'elle peinait à assembler ; ivre de joie, Bérangère oubliait que le jeu commençait à peine, que les formes changeraient bientôt et qu'il faudrait probablement tout détruire pour recommencer. Elle ne savait pas comment, mais elle serait là pour Les Fontaines, comme André, Maxime ou Grégoire, comme Clément et les frères Charrier, elle montrerait qu'elle pouvait « faire quelque chose ». Mais quoi ? Elle n'en savait encore rien.

Le médecin attirait ses jeunes collègues aux Fontaines trois jours par mois, tout au plus. Benedict jouait sur sa réputation, sur celle de son père, sur le sourire enjôleur d'Agnès. Il se fatiguait, les rendez-vous s'enchaînaient. Quand Agnès était en ville, il rentrait plus tard, sa fille était déjà au lit. Le matin, il partait à l'aube, l'estomac presque vide. Benedict s'éreintait, il se sentait disparaître. Quand il se couchait, épuisé, il se demandait comment son père avait pu vivre ainsi. André était plus fort que lui, gardait son sang-froid en toute circonstance, dormait dans la chambre d'un enfant mort et ça ne le gênait pas. André était un mystère pour son fils ; plus Benedict tentait de comprendre son père, plus il doutait de ses propres talents.

Agnès sut convaincre les plus réticents. Elle argumentait en faveur des Fontaines. Pour les jeunes diplômés, ce serait une façon de « se faire la main » sur une population qui, depuis presque soixante-dix ans, était soignée par deux médecins généralistes de la même famille. Ils

172

avaient besoin d'eux, de ces spécialistes fraîchement sortis de l'université, ils ne pouvaient plus faire face. Du travail, de l'argent facile, ces gens ne « cherchaient pas midi à quatorze heures », disait-elle en souriant, l'air entendu. Ils avaient besoin de lunettes, de médicaments, de couronnes. Ils étaient comme tous les autres êtres humains : deux yeux, deux oreilles, un cœur, un estomac, un intestin qui n'en finissait pas, des os fragiles, des pieds durcis, et il fallait soigner tout ça, huiler la machine. Les fourmis blanches rouillaient. Agnès mit toutes ses forces dans cette croisade aux bons docteurs ; ratissant les universités, elle organisa des déjeuners, des rendez-vous tardifs, déclina poliment les invitations à danser. Dévouée, elle œuvra pour son mari, pour Les Fontaines, pour les fourmis blanches et les paysans. Elle implorait sans se ridiculiser, convainquait sans menacer, argumentait sans s'énerver.

En vérité, tout ce qui la tenait éloignée des Fontaines l'enchantait. Depuis l'incident de la fête, dont elle s'était rapidement remise, elle cherchait à fuir La Cabane, le Chalet-Haut, la place du village. Elle avait accepté immédiatement la proposition de Benedict, sans chercher à savoir pourquoi ni comment, c'était une chance, elle partirait plus souvent et plus longtemps. Ainsi, dans sa quête, elle ne croiserait plus le regard, ne toucherait plus la peau, n'entendrait plus la voix de Valère.

Elle ne devait plus le voir,

le sentir,

le frôler,

lui parler.

Valère menaçait sa vie entière.

Ce qu'ils avaient construit, Benedict et elle, paraissait soudain si fragile, insipide. Agnès comprenait pourquoi sa fille adorait ce garçon. Il était tout ce qu'elle n'était pas. À eux deux, ils formaient un bloc invincible, un couple parfaitement équilibré, la tête et les jambes, le feu et la glace.

Mais il fallait supporter les secousses. Elles avaient commencé le jour du déjeuner en famille. Agnès, à mesure qu'elle quittait Les Fontaines, sentait l'orage gronder quand elle passait les carrières. Elle voyait les nuages noirs au loin, parsemés d'éclairs violacés, elle avait beau s'éloigner, au retour la tempête l'attendrait, il faudrait l'affronter, faire face, sans courber l'échine. Partir en ville lui permettait de prendre des forces, de se préparer. Benedict n'en savait rien, trop occupé à travailler. Bérangère n'en savait rien, trop occupée à aimer Valère.

Ils étaient seuls à comprendre.

Les premiers à travailler aux Fontaines furent trois jeunes gens, amis depuis l'enfance. Un ophtalmologiste, un généraliste et un gastro-entérologue. Inséparables : quand le premier accepta la proposition d'Agnès, les deux autres se joignirent à leur ami le lendemain.

Au début, les nouveaux furent hébergés à La Cabane. Soulagés, André et Benedict accueillirent leurs confrères comme des princes : Bérangère les noyait de questions sur la ville et les filles de l'université. La maison accomplissait son petit effet. Quand le soleil tombait sur la vue splendide, l'un d'eux se levait, sortait sur la terrasse et murmurait à ses collègues :

– Je comprends pourquoi Benedict s'est installé ici.

Dès le lendemain, sur la route du retour, ils oubliaient leur fascination pour les paysages des Trois-Gueules, ils rentraient à la maison, le portefeuille plein, le coffre rempli des victuailles amassées pendant trois jours.

Grégoire remercia publiquement Benedict. Désormais, les habitants avaient des yeux et des intestins convenables. Les fourmis blanches rataient moins de jours de travail, l'atelier tournait à plein régime, les fermes n'avaient jamais eu autant de commandes de nourriture. Grégoire et Benedict ne s'étaient pas concertés, mais, l'ouverture du nouvel atelier et la venue simultanée des nouveaux médecins donnèrent un coup de jeune au village. Du sang neuf, du travail supplémentaire. Bientôt, Grégoire développerait l'établissement Charrier. Engagerait des nouveaux professeurs, ouvrirait d'autres classes. Peut-être des cours de musique, de danse, il bouillonnait d'idées.

Lorsque les frères Charrier s'étaient installés aux Fontaines, les ouvriers vivaient mal. Ils survivaient, arrivaient d'endroits où on leur rappelait sans cesse qu'ils n'étaient qu'une main-d'œuvre pratique et facilement remplaçable. Les Charrier leur avaient donné plus qu'une maison et de la bonne nourriture : un statut. Aux Fontaines, ils étaient fiers d'être des fourmis blanches. Grégoire le savait, il connaissait les risques, la peur des éboulements, la poussière blanche qui recouvre tout. Les ouvriers apprenaient la rudesse de la pierre, les fermiers la rudesse de la terre. André et Benedict avaient soigné tous ces gens, et bien soigné ; pourtant, ils ne comprendraient jamais ce qu'ils enduraient chaque jour. De son bureau à la mairie, Grégoire voyait le médecin s'épuiser pour ses patients, pour Les Fontaines. Cet homme était bon et honnête, un mari dévoué, un père bienveillant, il avait le privilège du sang, mais pas celui de la terre.

Au Café, on croisait André, Bérangère, parfois Valère. Seule Agnès se faisait rare. Certains disaient qu'elle se cachait. Benedict répétait à qui voulait l'entendre que c'était grâce à elle que les médecins se déplaçaient jusqu'ici, elle les « chassait » en ville. Parfois, Grégoire la saluait en descendant du Chalet-Haut, il lui adressait un signe de la main auquel elle répondait par un sourire ravi, simple et franc, mais sa démarche trahissait une impatience qu'elle peinait à dissimuler, tout son être semblait fuir quelque chose, poussé en avant, comme si une voix terrible, qu'elle seule entendait, la poursuivait. En de rares occasions, Grégoire discutait avec Benedict de la maigreur de son épouse, des cernes qui alourdissaient son regard, et celui-ci répondait simplement :

– Tous ses déplacements la fatiguent beaucoup. Elle va bientôt s'arrêter.

Grégoire acquiesçait, puis la conversation reprenait à propos de la pharmacie, de l'atelier, des parents de Valère, des frères de Valère. Agnès était devenue une ombre qui traversait de temps à autre les chemins forestiers des Trois-Gueules, mais on l'oubliait. On demandait parfois de ses nouvelles et la réponse était toujours la même : « Ses déplacements la fatiguent. »

Les combles

Benedict hébergeait les nouveaux médecins deux nuits par semaine. Ainsi, ils ne payaient ni loyer, ni couvert. Ils arrivaient tôt, travaillaient, rentraient chez eux les poches pleines. La Cabane était assez grande, les réserves de nourriture assez fournies. Quand Agnès rentrait, le vendredi soir, les meubles avaient bougé dans la maison. Depuis peu, Benedict avait engagé une femme de ménage pour garder La Cabane en ordre. En poussant la porte de la baie vitrée, Agnès sentait que des étrangers s'étaient assis à sa table, qu'ils avaient quitté leurs chaussures sur sa terrasse. Elle ne blâmait pas Benedict : l'idée était bonne, les habitants remerciaient son époux chaque fois qu'il descendait au Café. Benedict était moins fatigué, il dormait plus et mieux. Le matin, il prenait le temps de déjeuner avec sa fille avant de partir au cabinet. Leur quotidien avait changé. Agnès, tiraillée entre sa chambre en ville et son immense demeure aux Fontaines, trouvait difficilement sa place. Elle œuvrait pour son mari, pour le village, mais personne ne la remerciait, Grégoire ne montait pas la voir pour lui dire à quel point il trouvait « admirable » sa dévotion pour eux. Elle n'existait tout simplement pas. Malgré la fatigue qui se lisait sur son visage, malgré les pointes de jalousie qui perçaient quand Benedict

177

rentrait le soir, si fier de lui, Agnès louvoyait, se jetait dans sa quête du médecin parfait. Elle ne pensait à rien d'autre ; lorsque son esprit divaguait, qu'elle revenait en voiture de la ville et passait devant les carrières, son corps se raidissait sans raison. Elle s'était habituée à ces vibrations, elle n'était plus aussi gracieuse, aussi détendue qu'avant.

Elle avait peur.

Quelque chose, ou quelqu'un, occupait son corps et son esprit. Elle tentait, par tous les moyens, de lui échapper. Travailler loin, aider Benedict, sortir, boire des verres de vin excessivement chers en compagnie d'hommes excessivement laids la protégeait de la tempête. Elle prenait des forces, s'imaginait qu'elle savait faire face. Qu'elle n'était ni la première, ni la dernière. Même aux Fontaines, où tout se savait, d'autres avaient certainement vécu la même horreur intérieure : ils s'étaient tus, murés dans leur silence, sans plier sous les bourrasques.

Elle n'allait plus au Café. Quand elle rentrait, elle profitait de sa vaste demeure. Si calme. Si paisible. Par tous les moyens, Agnès tentait d'échapper à l'idée qu'elle mettait sa vie, sa famille, la réputation de son mari, de son beau-père en danger. Pendant que Benedict, André, Bérangère et bien sûr Valère bavardaient sur la place du village, elle attendait, terrée dans les hauteurs, que l'ouragan se calme.

Dès le deuxième mois de visites médicales, Benedict aménagea les combles de la maison pour ses hôtes. Chambres, salle d'eau, toilettes. La vue depuis le grenier était superbe. La semaine qui précéda l'arrivée des trois médecins, Bérangère et Benedict passèrent leurs soirées à ranger le grenier : sortir les meubles, la vaisselle, les cartons, les boîtes entassées là depuis des années, trier les affaires, en jeter la plupart, déblayer le sol, le nettoyer, cirer le parquet, installer des lits confortables, des meubles neufs. Un vrai palace. Bérangère ne rechignait pas à restaurer le grenier, ça changeait du lycée, elle aimait que des invités viennent de temps en temps. Elle voyait de moins en moins sa mère. Le soir, André dormait tôt et Valère avait du travail chez lui. Bérangère aimait la compagnie. Et cette grande maison presque vide l'effrayait.

Le vendredi soir, de retour aux Fontaines, Agnès découvrit sa fille et son époux en tenue de travail. Elle étouffa un rire ; Benedict n'avait rien d'un ouvrier, rien d'un homme robuste. Malgré tout, il y mettait du cœur. Sa fille lâcha la pile de livres poussiéreux qu'elle transportait pour lui dire bonsoir et quand elle la prit dans ses bras, Agnès sentit l'odeur de renfermé, de moisissure, et, au milieu, bien cachée dans ses cheveux, une autre odeur, qu'elle reconnaissait entre mille. La peau de Valère.

– Quand est-ce que ce sera terminé ?

– Début de semaine prochaine, dit-il en soufflant. Tu nous aideras ce week-end ?

Agnès accepta. Tout ce qui la tenait éloignée. Tout.

Elle prépara un plat de pâtes aux champignons et au lard. Ils mangèrent en silence, trop affamés pour engager une conversation. Bérangère souriait bêtement, son père regardait son assiette, se resservait dès qu'il terminait sa portion. Ils avaient bien travaillé. Le grenier serait un bel endroit. Aussi accueillant que le reste de La Cabane. En débarrassant la table, Agnès se promit de travailler dur pour que tout soit terminé dimanche soir. Qu'elle fasse sa part. Qu'elle s'épuise, elle aussi. Elle en avait besoin, sans doute plus que sa fille et Benedict.

Ils travaillèrent quatre heures le lendemain matin, jusqu'à ce que André hurle depuis la cuisine que la viande serait brûlée s'ils ne descendaient pas déjeuner. Comme la veille, ils ne décochèrent pas un mot à table, trop concentrés sur ce qu'ils mangeaient, calculant combien de caisses à déplacer, de temps pour poncer le parquet, d'heures de ménage avant que le grenier ressemble à un logement acceptable. Benedict avait acheté des draps neufs, des oreillers moelleux, commandé deux tables de nuit, une commode et un guéridon en bois clair à l'ébéniste du Chalet-Bas. Les meubles étaient entreposés dans la pièce du bas, à côté de la cuisine, ils termineraient de vider le grenier, de le nettoyer, puis dérouleraient les deux grands tapis qui avaient appartenu à Élise avant qu'elle n'en fasse cadeau à son fils.

L'après-midi fut long et exténuant. À dix heures du soir, ils échouèrent dans le salon, sales et fiers de leur travail. Personne n'eut la force de préparer à manger, ils dévorèrent les restes du déjeuner et s'endormirent devant la cheminée, la bouche grande ouverte, les mains pleines d'ampoules. Puis, quand les corbeaux tournoyèrent devant la terrasse, animant les ombres à la lumière du salon, ils se levèrent un à un pour regagner leurs chambres. Ils laissèrent derrière eux des traînées de poussière, l'odeur de sueur, comme s'ils avaient, le temps d'une journée, habité la peau des fourmis blanches. Dans son lit depuis longtemps, André entendit les marches craquer et Benedict râler contre les courbatures.

Le lendemain, à neuf heures, la maison dormait encore. Seul le vieux, dans la cuisine, lisait un roman d'espionnage qui finissait mal. Le café était chaud, le beurre mou. Il avait coupé du pain, entassé les tranches dans une corbeille, ouvert deux pots de confiture, sorti des bols, des assiettes, des couteaux. La table était prête.

Bérangère émergea la première. Elle se jeta sur le pain frais, beurra trois tartines qu'elle trempa dans un chocolat brûlant. *Comme son père au même âge*, pensa André sans lever les yeux de son livre. La petite parlait peu le matin, elle n'aimait pas ça, surtout après une semaine de travaux au grenier. Un quart d'heure plus tard, Benedict et Agnès apparurent dans l'embrasure de la porte ; aussi éveillés que leur fille, ils s'installèrent silencieusement. Le café ne fit son effet qu'au bout d'un long moment ; Bérangère avait déjà quitté la table. Elle se préparait à l'étage. Lorsqu'elle redescendit au salon, elle avait le teint frais, les joues roses, ses cheveux étaient propres et coiffés.

– Qui vient au Café ?

André ferma son livre d'un coup sec et se leva en tirant sa veste sur le dossier de sa chaise.

– Tu nous emmènes ? demanda Bérangère à son père, qui ronronnait au-dessus de son bol.

Benedict soupira. Agnès pria pour qu'ils partent tous les trois s'amuser au village, qu'ils prennent le temps de parler avec Grégoire. Tandis que son mari déposait sa vaisselle sale dans l'évier, elle lui caressa le bras tendrement et souffla :

– Va avec eux. Profites-en. Tu as trop travaillé cette semaine.

Il émit un petit rire bienveillant, celui d'un enfant qu'on récompense.

– Tu es sûre ? dit-il en la serrant contre lui.

Agnès était fine comme une aiguille. Il sentait ses os sous ses doigts.

– Absolument. Pendant que vous serez en bas, je monterai les tables de chevet au grenier et le guéridon. Tu n'auras plus qu'à t'occuper de la commode.

Elle se dégagea de son étreinte, débarrassa la table de la corbeille de pain et des pots de confiture. Derrière elle, Benedict ne bougeait pas.

– J'ai de la chance de t'avoir rencontrée, conclut-il doucement. Même si j'ai un peu honte de faire travailler ma femme le dimanche.

Près de la fenêtre, Bérangère toussa bruyamment, elle détestait quand son père faisait « le joli cœur ».

– Ne perdez pas de temps, ordonna Agnès en se dirigeant vers l'escalier. Et revenez avant une heure. Le déjeuner sera prêt.

Elle disparut dans la pénombre du premier étage. Les autres quittèrent la maison en file indienne. Depuis la fenêtre du haut, Agnès regarda la voiture s'éloigner. Elle avait la maison pour elle. Des meubles à monter. De la cuisine à préparer. C'était une belle matinée.

Ils passèrent devant le Chalet-Haut, le Chalet-Bas et débouchèrent sur la grand-route. Le soleil éblouissait Benedict qui conduisait lentement, sous les moqueries de sa fille et de son père. André la préférait à lui. Il en était certain. Quand il les voyait, leur complicité le frappait comme une gifle. Ils s'aimaient d'un amour pur, véritable, qu'aucune jalousie, aucune méchanceté n'entachaient. Elle ne cherchait pas son approbation, et André admirait sa petite-fille parce qu'elle avait toujours eu plus de repartie que Benedict.

Ils arrivèrent près de la coopérative agricole au moment où l'un des ouvriers traversait la route. André le vit sauter la barrière et tapota l'épaule de son fils pour qu'il s'arrête à sa hauteur.

– C'est Valère ! s'écria Bérangère.

Dans son bleu de travail, elle ne l'avait pas reconnu. Elle sortit de voiture et se jeta à son cou. Il fit en sorte de ne pas salir ses habits propres et l'enlaça sans que ses mains crasses touchent ses vêtements.

– Vous travaillez tard ce matin, dit Benedict depuis la voiture, après avoir baissé la vitre.

– Je viens juste rendre service, répondit-il en lâchant Bérangère qui repartit jusqu'à la portière côté passager.

– Une belle âme ! Et des bras musclés avec ça ! dit Benedict en riant. (Puis, alors qu'il redémarrait, il se tourna brusquement vers Valère et demanda, presque suppliant :) Si vous avez le temps ce matin, pouvez-vous monter à la maison ? Agnès déménage des meubles.

– Toute seule ? murmura Valère, étonné.

Sur son siège, André écoutait tout.

– C'est notre jour de congé, s'amusa Benedict en pointant sa fille du doigt. S'il vous plaît, Valère, si ça ne vous embête pas, passez voir si tout va bien là-haut. Nous ne rentrerons pas tard.

Valère inclina la tête. Vaincu. Il ne pouvait pas dire non. Il ne pouvait pas refuser à son beau-père un aller-retour rapide. Déplacer trois meubles, ça prenait quelques minutes. Il serait rentré chez lui avant midi. Quelle idée avait-elle eu de faire ça toute seule ? Toute seule !

Quand la voiture eut quitté la grand-route et tourné en direction des Fontaines, Valère courut jusqu'à la coopérative, prévint les ouvriers et s'enfuit en sens inverse, avant de disparaître au détour du Chalet-Bas.

La chasse

Sur la route qui traversait les Bois-Noirs, la maison surgit, imposante. À flanc de colline, elle dominait la vallée et les hommes qui l'habitaient. La façade renvoyait les rayons du soleil sur les champs. Valère avançait vite, son corps tendu fendait l'air, un athlète prêt à affronter son pire adversaire. Il avait honte de son bleu de travail sale. Ses bottes étaient couvertes de boue. Il longea la clôture jusqu'à l'escalier en pierre. Les oiseaux, cachés dans les arbres, avaient déserté les abords de La Cabane. Il n'entendait que les branches dodelinant légèrement sous la brise.

Tout était si calme. Il s'arrêta quelques secondes là où son regard avait croisé celui d'Agnès pour la première fois. Le souvenir imbiba son esprit comme de la ouate, il eut tout à coup l'impression de léviter. On lui offrait une parenthèse. Elle serait vite refermée. Benedict avait dit qu'ils rentreraient avant une heure de l'après-midi, et Valère frémissait, quelque chose arriverait, très bientôt, il le sentait, les oiseaux et l'odeur de terre mouillée s'étaient retirés pour lui laisser la place, quelque chose se passait mais il ignorait quoi.

Il épousseta sa combinaison, grimpa les marches deux par deux. Un coup d'œil aux fenêtres du haut ; personne ne le regardait. La maison semblait vide.

Il cogna contre la baie vitrée, le soleil lui brûlait les épaules, puis il tira sur la poignée qui gémit. Valère essuya ses chaussures sur le paillasson. Des miettes de pain tapissaient la table de la cuisine. L'odeur du café chaud persistait.

Prudent, il avança jusqu'au salon où il s'était assis en compagnie d'André. Benedict avait dit que sa femme déménageait des meubles, mais Valère n'entendait rien. Un court instant, il se demanda s'il ne lui était pas arrivé malheur dans la remise du jardin et fit demi-tour, mais avant qu'il ait pu mettre un pied dehors, une voix, à peine perceptible, fusa depuis le premier étage.

– Qui est là ?

Valère revint sur ses pas, avança jusqu'à l'escalier.

– C'est moi. Valère.

La voix se tut. De nouveau la maison fut silencieuse. Le vent s'engouffrait par la baie vitrée.

Au bout d'un long moment, le parquet grinça et Valère vit une ombre se déplacer au-dessus de lui. Agnès portait des vêtements amples. Elle paraissait essoufflée.

– Benedict m'a demandé de venir vous aider, dit Valère en s'appuyant contre la rambarde.

Elle soupira bruyamment. Valère eut la sensation qu'elle détestait son mari. Elle s'avança un peu plus : dans la lumière, la poussière sur ses vêtements moussait, la nimbant d'un voile gris et pâle.

– Je n'ai pas besoin d'aide, siffla-t-elle. Tu as fait le chemin pour rien.

Elle luttait.

C'était maintenant. Toutes ses forces rassemblées. Il ne monterait pas au premier étage. Elle devait le tenir à distance.

– Je ne peux pas partir, répondit Valère, la voix tremblante. (Il mit un pied sur la première marche, celui
d'un chasseur dominant sa proie.) Je ne peux pas partir,
dit-il de nouveau, presque en colère.

Agnès restait calme. Immobile. Même sale et mal
peignée, elle était puissante. Indestructible. Si grande
dans sa douleur.

– Tu dois t'en aller, Valère. Maintenant.

Elle tenait. Il souffrait, tétanisé. Une vingtaine de
marches les séparait.

Valère devint blême. La colère, le désir se mélan-
geaient ; il avait dix-sept ans, il se sentait tout petit. Elle
essayait de le convaincre qu'il n'était qu'un enfant. Il
avait horreur de ces mots, de cette façon de lui tenir
tête. Chaque seconde de plus au bas de cet escalier le
ravageait.

– Je ne peux pas partir, répéta-t-il encore une fois.

Puis il commença à monter les marches. Une par
une. Doucement. Le chasseur approchait une bête
sauvage.

Agnès avança. Surpris, Valère stoppa net son pas et
attendit qu'elle parle. Elle descendit trois marches, ses
bras fins en balancier, puis elle s'arrêta, sûre d'elle,
planta ses yeux dans ceux de Valère et ordonna d'une
voix sévère et sans appel :

– Quitte cette maison maintenant. Tu n'as rien à
faire ici.

Puis elle tourna sur elle-même, disparut dans l'obs-
curité du couloir, laissant Valère au beau milieu de
l'escalier, l'air penaud dans son habit de travail. Il
lui fallut quelques secondes avant de comprendre ce
qu'elle venait de dire. Une veine battait sur sa tempe,
sa bouche se tordait en un rictus de désespoir qu'il
tenta de dissimuler.

De nouveau, la maison fut silencieuse. Agnès s'était volatilisée.

Valère sortit par la baie vitrée, qu'il ferma d'un coup sec. Devant La Cabane, les oiseaux étaient revenus, et l'accompagnèrent jusqu'aux Bois-Noirs.

L'annonce

Ce printemps-là, Grégoire fut le plus heureux des hommes. Les Fontaines se portaient bien. L'atelier fonctionnait, les commandes affluaient des quatre coins du pays. En sécurité, les fourmis blanches et les paysans vivaient sereinement, des spécialistes venaient de la ville, on leur donnait une importance en laquelle personne n'avait cru jusqu'ici. En ville, on louait la qualité de la pierre Charrier, la bienveillance des employeurs, l'honnêteté et la rigueur de leurs ouvriers. Pour les citadins, Les Fontaines restaient un lieu inhabitable et étrange, un drôle d'animal qui grossissait à vue d'œil mais qu'on préférait laisser seul dans son coin. Cependant, pour les industriels et les chasseurs de terres, le village devint une denrée rare, un trésor qu'ils s'arracheraient bientôt, comme des pirates affamés qui découvrent une île inconnue après des mois trop calmes en mer. Les denrées revendues en ville s'arrachaient sur les marchés, la pierre était une des meilleures du pays ; certains jeunes diplômés de la faculté de médecine s'y rendaient de plus en plus souvent, vantaient l'argent récolté sur place, sans rien dépenser, puisqu'un ancien de la formation, Benedict, ainsi que son père, André, prenaient tout en charge.

Il y eut de nouveaux postulants ; un kinésithérapeute, une infirmière pour aider Benedict dans ses déplacements, et un oto-rhino-laryngologiste, qui informa les frères Charrier que les oreilles internes de ses employés ressemblaient à des sous-marins percés, à cause du bruit des machines et de la poussière de roche qui infiltrait leurs conduits vestibulaires. Les spécialistes se relayaient. Tous dormaient chez Benedict. La maison n'était jamais vide.

Bientôt, Agnès n'eut plus à convaincre quiconque en ville. Sa mission prit fin. Elle continua de se déplacer pour ses réunions éditoriales, mais, à présent, elle rentrait plus tôt, le mercredi soir généralement. Plus exposée au danger.

Valère avait été touché. Son visage blême la hantait, l'empêchait de fermer l'œil. Elle s'épuisait à ranger, nettoyer la maison, laver le linge, étendre les draps propres, épousseter les étagères, Benedict avait beau lui répéter que quelqu'un s'occupait du ménage, elle refusait de rester tranquille. Dès qu'elle tentait de se reposer, elle revivait la scène, voyait ce beau garçon, si fort, si sale dans son uniforme des champs, avancer vers elle, attendre qu'elle lui fasse un signe. Sa bouche frémissait. Féroce, elle combattait, chaque jour, les soubresauts du désir, avec violence et assiduité, elle s'enfermait dans un mouvement perpétuel de draps à plier, de vêtements à repasser, de parquets à cirer. Le soir, elle mijotait des plats compliqués. Quand il n'y avait plus rien à faire, que la maison étincelait de propreté, elle s'activait sur ses nouveaux textes à traduire, même si rester assise lui était insupportable ; elle bougeait pour dresser son corps, pour empêcher son cœur de battre plus fort que d'ordinaire. Le soir, Benedict lui faisait l'amour, elle le serrait contre sa poitrine tel un trésor en train de couler au fond d'un océan. Elle descendait avec lui, dans les profondeurs, se laissant emporter par ses caresses, ses odeurs, par les mots qu'il murmurait. Benedict était un amant correct. Un homme amoureux qui faisait de son mieux. Et il ne demandait pas. Elle décidait. Cette liberté lui convenait, mais elle aurait voulu, ces derniers temps, qu'il la prenne, qu'il la déshabille un peu plus vite, avec un peu plus de passion ; un autre homme pouvait, rien qu'en la regardant, agiter son corps comme un mouchoir de soie, léger et vif. Avec Benedict, elle avait besoin de temps pour que son désir atteigne son point culminant, pour effacer Valère de ses pensées, oublier son prénom. Malgré sa rigueur, ses efforts s'évanouissaient dès qu'elle songeait à ce jour où elle avait regardé l'amoureux de sa fille depuis la baie vitrée. Tout était allé si vite, elle n'avait pas pu, pas su se préparer à une telle déflagration.

Parfois, elle oubliait que Bérangère aimait Valère. L'amant de sa fille. Bientôt le mari de sa fille. Elle serait sa belle-mère. Elle ne pouvait pas. Il fallait se battre. C'était une tempête comme une autre, un mauvais moment à passer. Une douleur telle qu'elle sentait souvent une main invisible l'extraire du monde réel pour la déposer au creux d'un lit inconnu, où le corps endormi de Valère attendait, respirant profondément ; les muscles apaisés gisaient sur les draps et elle se couchait contre lui. Mais la main géante, avant qu'il ne s'éveille, la ramenait brusquement chez elle, devant sa table de travail, où elle se sentait défaillir, en proie à des hallucinations qu'elle ne contrôlait pas. Elle ne connaissait pas Valère. Comment pouvait-elle l'aimer ? Son corps le réclamait, elle ne mangeait presque pas tant son estomac le demandait. Sa bouche, ses yeux, ses cheveux, sa poitrine, son ventre, son sexe, ses fesses, ses chevilles, chaque parcelle de sa peau attendait une caresse nouvelle, mais elle refusait tout.

Elle fréquenta de nouveau le Café. Le dimanche, elle accompagna systématiquement sa fille et André. Elle devait faire face. Passer à l'offensive, cesser de se cacher. Se montrer telle qu'elle était : forte, indomptable. De temps en temps, Valère se joignait à eux, elle lisait sur son visage la douleur qui le rongeait, il suffisait qu'il ouvre la bouche, qu'il cligne des yeux. Il paraissait nerveux, fébrile, ne suivait pas la conversation. Comme un animal qui renifle une piste, Agnès le sentait sur le point de fondre en larmes, elle devinait ses moindres pensées, à la façon qu'il avait de se tenir sur sa chaise, de redresser un peu le dos quand il approchait de la table et qu'elle le regardait bien en face en disant :

– Bonjour Valère, c'est une belle journée ! Venez vous joindre à nous !

Plus elle se montrait courtoise, plus il reculait. Quand elle disait « bonjour », « au revoir », son odeur, sa peau provoquaient des tremblements mais elle restait digne, alors que Valère n'y arrivait pas, ses mains traînaient sur sa taille le plus longtemps possible, ses lèvres effleuraient lentement, très lentement, la joue de sa future belle-mère. Agnès se persuadait qu'elle dominait la situation, pensant qu'à force de le voir, de lui parler, elle s'habituerait à sa présence et lui à la sienne, qu'ils apaiseraient le feu à l'intérieur. Son corps ne pourrait pas régner éternellement. Elle se croyait capable de soumettre son désir à sa raison.

Chaque dimanche, Valère tentait de maîtriser, en vain, les spasmes de ses mains, prétextait des travaux

aux champs pour quitter la table. Inquiète, Bérangère emmêlait ses doigts aux siens et s'écriait :

– Oh, mais tu trembles ! Pourtant il ne fait pas froid !

Valère répondait par un sourire faiblard.

– Je suis fatigué, ça passera.

Alors Agnès se penchait, et d'une voix bienveillante, disait :

– Oui, vous verrez Valère, ça passera.

Si certaine de sa manœuvre, si heureuse d'avoir trouvé la solution, elle souriait dès qu'un habitant la saluait, aidait certains élèves de la classe de Bérangère qui peinaient sur les langues étrangères. Benedict n'avait jamais vu Agnès aussi en forme. Aussi tranquille et survoltée à la fois. Son escapade auprès des étudiants en médecine lui avait fait le plus grand bien, elle était prête à retrouver les Trois-Gueules, à participer à la prochaine fête des Fontaines. Soulagé, il se réjouissait de la voir partager son café le dimanche, au village, avec André. Agnès débordait de joie, de vitalité. Au lit, elle demandait plus souvent, et des choses différentes. Benedict ne pensait pas qu'après tant d'années elle aurait de nouveau envie d'aventure, et il en était ravi. Leur couple solide épatait les vieux du village, qui fuyaient leurs femmes dès qu'ils le pouvaient.

De son côté, Valère maigrissait. Il mangeait peu. Ses frères ne l'asticotaient plus tant il était sombre et renfermé. Sa mère l'embrassait sur les cheveux mais il évitait tout regard, toute question. Il travaillait dur, se levait très tôt, trayait et nourrissait les bêtes avant l'aube, quand il était sûr d'être seul, devant ses vaches, qui lui jetaient des coups d'œil gentils, plein d'une sagesse animale qu'il n'était plus capable d'apprécier. Le matin, dans son étable, il pensait à Agnès. Il comprenait ses manœuvres, cette comédie le dimanche au Café, il ne le lui reprochait pas, mais son corps adolescent semblait moins résistant que le sien. Il subissait ses assauts. La nuit, lorsque, enfin, il trouvait le sommeil, le visage de Bérangère s'effaçait, celui d'Agnès prenait sa place, elle était sur lui et elle bougeait doucement, ses pupilles bien plantées dans les siennes. Bouche entrouverte, elle gémissait, alors il fermait les yeux et quand il les rouvrait, il se trouvait dans son lit, ses draps trempés de sueur en boule par terre. Valère vivait un calvaire. Son corps subissait des secousses abominables, emporté par une machine invisible.

Bérangère s'inquiétait pour lui ; elle redoublait de patience, de gentillesse, mais il ne supportait pas ses caresses, ses mots doux, son odeur, partout il voyait, il sentait, il touchait Agnès. Son esprit lui jouait de mauvais tours quand Bérangère venait à la ferme. Au loin, il imaginait qu'Agnès marchait vers lui. Elle arrivait à sa hauteur, il se faisait violence pour ne pas la repousser. Bérangère était une fille bien. Ils formaient un beau couple. Ils se marieraient un jour, auraient leurs propres enfants, tout ça ne serait plus qu'un mauvais souvenir. Pour le moment, il souffrait, seul, attendant que la tempête cesse de le malmener, de défaire tout ce qu'il avait patiemment construit. Il se soumettait à ces rafales, mais il avançait dans la brume, certain qu'il saurait en sortir, malade et usé, peut-être, mais vivant.

Malgré ses notes excellentes, qui auraient pu l'envoyer de l'autre côté, à l'université, Valère décida de rester vivre aux Fontaines. Il n'avait aucune confiance en ses deux frères pour tenir la maison ; Antoine était trop jeune pour prendre une telle responsabilité. Il resterait là, à traire ses bêtes, rentrer son foin, entasser du lisier derrière la grange. Il ferait de cet endroit le meilleur site de production des Trois-Gueules. Valère regorgeait d'idées, de grandes idées pour la ferme. Pourquoi ne pas en acheter une autre et y installer son petit frère ? Les aînés étaient trop idiots pour gérer quoi que ce soit ; ils fournissaient le minimum d'efforts, oubliant qu'une fois leurs parents décédés ils ne pourraient compter que sur eux-mêmes. Valère ne daignait ni les nourrir, ni les loger, ni les payer pour un travail qu'ils ne faisaient pas, ou qu'ils faisaient mal. Son père réfléchissait déjà à la succession. Deux de ses fils avaient les épaules assez larges pour supporter le poids de la ferme familiale. Les deux autres ? Maxime n'en parlait pas. Plusieurs fois, Valère avait surpris sa mère au téléphone avec sa sœur. Inquiète, tendue : « On commence à y réfléchir, Aimé est un gentil garçon au fond, mais ça ne suffit pas. » Si ses parents lui léguaient la ferme, qu'il embauchait Antoine, les deux autres se sentiraient trahis, ils déclencheraient une guerre familiale aux Trois-Gueules. Guerre perdue d'avance ; malgré tout, Valère ne se sentait pas la force de supporter leur violence, leur sale trogne, il les détestait autant qu'il adorait Antoine. Il redoutait qu'ils s'en prennent à lui. Pour l'instant, tout allait bien, mais dès que ses parents ne seraient plus en âge de s'occuper d'eux les choses changeraient, il faudrait frapper fort, au bon moment. Sa dernière rencontre avec Agnès l'avait anéanti ; Bérangère n'arrivait pas à le tirer du gouffre qui l'aspirait. Elle ne comprenait pas. Placide, elle attendait. Que ça passe. Que la tempête se calme, même si elle ne savait pas ce qui l'avait déclenchée. Elle ne devait jamais savoir. Jamais.

Deux mois après l'aménagement du grenier, Bérangère invita Valère un dimanche matin au Café. Agnès n'était pas là.

Il se fit beau et propre. Seule Bérangère aurait droit à son regard, à ses gestes, il la toucherait, la complimenterait sans craindre la voix d'Agnès à ses côtés. Il retrouverait André et Bérangère, comme avant. À onze heures, il passa devant l'église où Clément se tenait bien droit. Valère le salua, le prêtre remarqua qu'il s'agissait d'une belle journée pour bavarder en terrasse et le jeune homme acquiesça en s'éloignant. Quoi qu'en disent les anciens, Clément était un homme agréable. Il aimait sa façon de se mettre à l'écart, son élégance un peu gauche. Sa présence. Clément était là. Il ne disparaissait jamais. Il ne faisait pas d'histoires. Il parlait peu, écoutait beaucoup. Peut-être les vieux ne l'aimaient-ils pas à cause des secrets qu'il était seul à connaître. Une des rares personnes en qui Valère avait confiance.

André et Bérangère occupaient la table habituelle. Sur la gauche. Près de la fontaine. Bérangère portait un pull épais, André avait noué un foulard autour de son cou pour éviter d'attraper des « maladies de vieux ». Il s'approcha d'eux, tira une chaise de la table voisine et s'assit à côté de Bérangère, qui l'embrassa dans le cou. Elle avait le teint rosé. Un large sourire illuminait son visage et Valère voulut l'embrasser à pleine bouche. Ça ne lui était pas arrivé depuis des semaines.

– Tu as l'air heureuse, dit-il en faisant signe au serveur.

Elle éclata de rire. Pensif, Valère interrogea André du regard qui dodelina de la tête en souriant.

– Que se passe-t-il ? Vous m'avez l'air bien mystérieux tous les deux.

André soupira. Lui aussi semblait heureux. Apaisé. Comme si quelque chose de bon et d'incroyable avait eu lieu.

Bérangère prit la main de Valère et la caressa doucement. Toujours hilare, elle renversa la tête en arrière et dit :

– Tu ne devineras jamais !

Valère n'aimait pas les énigmes.

– Benedict a acheté une nouvelle voiture ? tenta-t-il.

Bérangère secoua la tête.

Le serveur posa une tasse de café devant le garçon.

– Alors ?

Bérangère et André échangèrent un regard complice, puis elle se tourna vers Valère, les yeux pétillants de joie. Avant qu'elle ait pu dire un mot, son grand-père lâcha :

– Agnès est enceinte.

Souffrir

Allongé par terre, dans sa chambre, Valère entendait les vaches meugler dehors, les jurons de son frère qui les rentraient à l'étable. Avec lui, elles ne rechignaient pas.

Agnès était enceinte.

Un enfant.

Il se sentait dévasté. Un trou dans le cœur. Bérangère semblait ravie, un petit frère ou une petite sœur arriverait bientôt. Seize ans après sa naissance. Dans une belle maison. Une chambre pour lui tout seul, une terrasse immense et un jardin agréable. De l'argent. Cet enfant ne serait jamais inquiet. Il naîtrait dans un monde magique où rien n'aurait d'importance sinon lui-même, parce qu'il venait si tardivement, parce qu'on ne l'attendait plus. L'enfant miracle que Benedict avait tant attendu et qu'il s'était résolu à oublier.

Quand Bérangère lui avait annoncé la nouvelle, Valère était resté bouche bée. Incapable de dire un mot. Un coup de poing dans l'estomac. La tempête soufflait plus fort, il pliait sous le choc, battait en retraite, allongé sur le vieux parquet de sa chambre d'enfant.

Un nouveau-né.

Valère avait mal, tellement mal, comme si on lui arrachait les entrailles, comme si on lui annonçait qu'il ne verrait plus Agnès. Alors qu'il la reverrait. Il en était sûr. Mais elle ne le regarderait plus. Elle donnerait naissance à un enfant que la famille attendait depuis plus de quinze ans, seule sa grossesse comptait à présent. Le coup de grâce. Elle était enceinte. Quelqu'un avait pris la place de Valère dans son corps, dans sa tête, et cette pensée le torturait.

Il avait perdu Agnès.

La famille entière vivait sur son nuage. Un nouveau-né, la preuve que la vie recommençait. Valère devait se résoudre à ne plus être au centre de ses pensées, à faire le deuil de cet amour qui avait à peine commencé, mais on lui demandait d'enterrer un homme encore vivant, on l'obligeait à éteindre une bougie qui se rallumait sans cesse. Recroquevillé sur le sol de sa chambre, il ressemblait à un fœtus énorme, musclé, ridicule. Des vagues de sanglots déferlaient.

Agnès, enceinte.

Naïvement, Valère avait pensé qu'elle et Benedict ne faisaient plus l'amour. Il se sentait idiot. Déçu par lui-même. Il avait été arrogant, prétentieux, il l'avait mise au défi, sauvée de la noyade, et voilà la réponse. Seul le bébé comptait. Même si Valère hurlait à la face des Trois-Gueules tout ce qu'il ressentait, même s'il la suppliait de penser à lui. Il faudrait du temps avant de sortir de cet enfer. Bérangère parlerait de *ça* en permanence, Benedict aussi, il n'aurait personne à qui parler, personne à qui se confier. Pour la première fois de sa vie, Valère était seul. Complètement seul. Il ne pouvait rien dire, rien montrer. Un enfant naîtrait. Un enfant effacerait les regards, les sauvetages, les marches d'escalier des Trois-Gueules.

Valère se rappela comment il avait eu envie d'embrasser Bérangère ce dimanche, au Café, essaya de raviver cette sensation, s'accrocha à ces quelques secondes comme à une bouée en pleine mer déchaînée. Agnès était enceinte. Il l'avait désirée si fort. Plus fort que Bérangère. Agnès était une version améliorée de Bérangère, un aperçu de ce qu'elle deviendrait dans vingt ans. Avec plus d'allure, plus de caractère.

Ses crampes d'estomac ne diminuaient pas. Il sentait son corps pris dans un étau brûlant. Les malheurs du monde n'étaient rien comparés à ce qu'il endurait. Agnès était enceinte. Depuis l'école primaire, il aimait Bérangère et il continuerait, en dépit de tout, il se persuadait que le désir ne durait qu'un temps mais qu'un amour d'enfance était éternel. Ça ne le réconfortait pas, ça ne l'apaisait pas, mais c'était la seule lueur à l'horizon. Une lueur fragile, vacillante, mais il la suivrait. Il aimait Bérangère. Peut-être pas comme au début, peut-être pas comme Agnès, il n'avait jamais ressenti de tels tremblements pour sa fille, mais il l'aimait. Il ne lui voulait aucun mal. Ils avaient grandi ensemble, et cet amour s'était retourné contre lui. Agnès avait brisé les remparts construits autour de leur histoire. En un geste simple. Efficace.

Agnès était enceinte.

Tout reconstruire. Ramasser les morceaux, un par un, tenter de protéger cet amour, une nouvelle fois.

Retenir les leçons du désir : ça n'avait aucun sens, aucun but.

Les mois suivants furent plus éprouvants encore.

Bérangère ne parlait que de son petit frère. Un garçon. André avait reconnu aux battements de cœur le sexe de l'enfant. Bérangère imaginait ce qu'ils feraient ensemble, les endroits qu'ils découvriraient, les pièges à éviter. Elle avait hâte de le nourrir, de le changer, de l'entendre rire ; parfois elle disait « mon fils » au lieu de « mon frère » et elle riait aux éclats, heureuse que sa vie change, qu'elle soit bouleversée par un événement aussi imprévu. Pendant plus de quinze ans, le corps d'Agnès avait refusé toutes les offres de Benedict et voilà qu'aujourd'hui l'impensable se produisait.

Elle continua ses allers-retours en ville, mais au cinquième mois Benedict lui conseilla de rester aux Fontaines. « Les grossesses, à cet âge, sont risquées. » Il craignait un drame. Benedict désirait que cet enfant, son enfant, attendu pendant si longtemps, soit le plus beau garçon du monde, le plus fort, le plus aimé. Un garçon. Un petit garçon. Il avait abandonné l'idée d'élever un autre enfant. Depuis quelque temps, il lui arrivait de penser au jour où Bérangère serait enceinte, il s'imaginait grand-père, complices comme l'étaient André et sa petite-fille. Mais le miracle était arrivé : il serait père encore une fois. Il ne s'inquiétait pas de son âge, de son travail, de ses horaires. Ça n'avait pas d'importance. Seul l'enfant comptait.

Benedict devint plus tendre, plus attentionné. Il faisait une montagne de tout. Il l'aimait si fort. Chaque jour il la remerciait d'être là, embrassait son ventre, la cajolait. Agnès n'avait jamais imaginé tomber enceinte une nouvelle fois. Elle détestait les miracles, les gens qui y croyaient, pourtant elle admettait qu'elle en portait un dans son ventre. Un beau miracle. Vivant. Elle s'était brièvement inquiétée pour Benedict, que penserait-il de cette grossesse, à son âge ? Puis, elle avait pensé à Valère. Les tremblements dans son corps avaient repris de plus belle, mais, pour la première fois, elle s'était laissé secouer, pour les sentir réellement avant qu'ils ne la quittent pour de bon. Elle avait laissé ce désir la submerger, pour l'épuiser, pour qu'il s'assèche.

Valère. Elle le désirait depuis le premier jour. Maintenant qu'elle cachait quelqu'un dans son ventre, elle s'abandonnait à ses pensées, à ses vérités. Elle avait aimé Valère plus que tout. Plus qu'elle-même. Elle avait lutté parce qu'elle savait cet amour si fort, si destructeur. Un volcan qui éruptait, sans interruption, qu'elle tentait d'éteindre en s'éloignant des Fontaines. Mais le bébé givrait la lave par sa seule présence. Il s'était passé quelque chose ce jour-là, quand elle avait déménagé les meubles au grenier, il s'était passé quelque chose, mais, aujourd'hui, elle acceptait d'avoir été submergée, vaincue par son désir, par cette vague brûlante qui s'éloignait à mesure que le bébé grandissait dans son ventre. Il s'était passé quelque chose, mais ça n'avait plus aucune importance.

La nouvelle fit rapidement le tour des Trois-Gueules. Benedict était de moins en moins présent aux Fontaines, et son assistant finit par cracher le morceau lors d'une soirée au Café. Le médecin deviendrait père une deuxième fois. Quinze ans après.

Pendant toute la grossesse d'Agnès, on ne parla que de son poids, de sa taille, de sa fatigue. Toutes les conversations tournaient autour du bébé. Oui, ce serait un garçon. Oui, ses parents étaient un peu vieux, mais sa sœur et Valère prendraient le relais s'il arrivait malheur. Et puis, deux médecins à la maison, ça évite les complications. Ce bébé appartiendrait aux Fontaines. Il naîtrait aux Trois-Gueules. Une fois l'enfant sorti du ventre de sa mère, plus personne ne pourrait se moquer de Benedict. Cette grossesse était un signe divin, un message pour ceux qui pensaient que le docteur n'était pas « un vrai d'ici ». Il aurait deux enfants de cette terre, deux beaux enfants.

Pendant que chacun y allait de son pronostic sur le prénom du bébé, sur la façon dont il serait élevé, sur la couleur des draps dans la chambre, qu'on imaginait Bérangère avec son petit frère sur les genoux, Valère souffrait en silence. Il tentait tant bien que mal de faire bonne figure, mais il n'avait jamais été vraiment capable de jouer la comédie.

Il avait mal.

La plaie ne se refermait pas.

Chaque battement de cœur, chaque geste la rouvrait. Il voyait Agnès partout. Quand l'enfant naîtrait, il serait là, près de Bérangère, il tiendrait le petit contre lui, le bercerait, dirait des mots gentils, des mots idiots, ceux qu'on chuchote à l'oreille d'un être qui ne sait que manger et dormir. Il ne pourrait se cacher trop longtemps. On lui demandait déjà des détails à la coopérative. « Comment se sent Agnès ? Est-elle souffrante ? Benedict saura-t-il s'occuper du nouveau-né ? Bérangère va-t-elle le garder de temps en temps ? » On le noyait de questions. Il répondait : « Oui, non, je ne sais pas, sans doute, il faut attendre. » Rien de plus.

Valère survivait. Son corps malmené par des forces invisibles. Se nourrir, une souffrance supplémentaire : son estomac noué refusait la viande, les pommes de terre, il demandait des bols de soupe, du yaourt, de la compote, Delphine le nourrissait tel un enfant malade, « encore un peu, mon chéri », il ne gardait rien. Il se levait la nuit pour vomir, son corps se concentrait, tout entier, sur Agnès, sur cette femme qu'il devait oublier, sur ce désir sur lequel il sautait à pieds joints mais qui reprenait vie, chaque soir. Valère souffrait. Pendant qu'on célébrait l'arrivée du bébé, il disparaissait, étranger à lui-même, essayant de se rendre invisible. Comment tout avait commencé ? Il n'en savait rien. Il aimait Bérangère, pourtant Agnès provoquait quelque chose de plus violent, de plus animal. Agnès avait des manières que personne n'employait aux Trois-Gueules. Elle venait d'un autre monde, de l'autre côté des carrières, elle avait grandi ailleurs. Valère ressentait tout ce qui la rendait différente, ses moindres faits et gestes résonnaient. Son amour l'épuisait. Tout lui semblait vain, insignifiant. Son corps, son esprit malades cherchaient les moyens d'oublier, de se délester de ce désir si lourd. Le matin, à l'aube, il se confiait à ses vaches, elles ne répéteraient rien. Les bêtes le regardaient avec bienveillance pendant que la machine tirait le lait, leurs queues se balançaient de gauche à droite, comme un métronome. Valère parlait jusqu'à ce qu'elles quittent la salle de traite. Les vaches avaient sauvé la vie de son grand-père. Cette fois-ci, elles lui permettaient de ne pas sombrer, elles étaient son dernier rempart.

Huit mois d'horreur.

D'une intensité amplifiée par son rôle auprès de Bérangère. Elle n'avait jamais paru aussi heureuse. Un enfant. Un petit frère. C'était le sien aussi, cet enfant. Elle serait sa grande sœur, sa seconde mère, sa meilleure amie, sa confidente, tout ce qu'il désirerait qu'elle soit. Valère gardait la tête haute, il la prenait dans ses bras quand elle s'inquiétait des complications possibles. Bérangère ne le regardait pas. Elle attendait cet enfant. Ce petit frère. Elle voulait sentir le corps de Valère contre le sien, penser qu'à leur tour ils fonderaient une famille, une famille d'ici, avec des enfants nés ici, élevés ici.

Après ses sorties avec Bérangère, Valère rentrait chez lui épuisé, tel un comédien jouant la même scène sans interruption, devant une salle vide et froide. Il tenait bon. Le cœur cognait à l'intérieur, il rêvait d'Agnès, redoutait l'arrivée de l'enfant, mais il avançait, se croyant réellement capable de passer par-dessus les vagues.

Huit mois atroces. Il tenait bon. Jour après jour. Il reprenait goût à certains aliments, s'endormait l'après-midi et se réveillait au pied du lit, dans sa chambre. Son corps l'obligeait à se reposer, il criait famine. Plus les semaines passaient, plus il se rassemblait pour se battre contre ce désir. Valère n'allait pas bien. Mais il luttait. Parfois, il se surprenait à savourer l'odeur des cheveux de Bérangère quand elle s'endormait dans ses bras, il retrouvait des sensations qu'il pensait perdues. Des détails lui revenaient en mémoire. La couleur du ciel quand le soleil se couchait sur les champs. L'odeur du café le matin. Son père somnolant, assis sur sa chaise, Antoine pouffant de rire devant lui. Des détails. Des parenthèses dans sa douleur. Il s'accrochait à ses prises, comme un homme tombé du haut d'une falaise remonte en escaladant la paroi lisse et mouillée. Il y arriverait. Les Fontaines étaient son domaine, l'endroit qu'il aimait, que Bérangère aimait, ils vivraient ici, heureux. Il y arriverait. Jour après jour. Prise par prise. Il remontait. Plus il approchait du sommet, plus Bérangère paraissait joyeuse, aimante, insouciante comme au premier jour de leur idylle. Elle le sentait de nouveau présent, protecteur, il riait pour de vrai, moins souvent qu'avant, moins fort aussi, mais la fatigue quittait peu à peu son corps. Il reprit du poids, des muscles, ses sourires étaient moins appuyés, ses cernes moins noirs. Il dormait mieux, pas beaucoup, mais mieux. Jour après jour. Il soignait ses plaies, ruait, acharné, contre ce tambour dans sa poitrine. Il luttait, espérant que le désir se taise. Enfin.

Les Trois-Gueules attendaient cette naissance. Elle alimentait les conversations aux carrières, à l'atelier, au Café, à la coopérative, à l'église, partout, on parlait du

miracle, de ce deuxième enfant, de cette mère courageuse, de ce père reconnaissant. On discutait d'André.
Depuis combien de temps n'avait-il pas tenu un bébé
dans ses bras ? Depuis combien de temps Benedict
et Agnès essayaient-ils d'en avoir un, sans succès ?
Depuis combien de temps avaient-ils abandonné l'idée
de donner un petit frère, une petite sœur à Bérangère ?
C'était un miracle.

Un vrai miracle.

Le petit des sommets

Charles naquit dans la chambre de sa mère.

Elle eut mal. Agnès souffla très fort et très longtemps. Elle avait passé les trois derniers mois de sa grossesse au lit, à l'étage, entourée de livres, de plateaux, de bouteilles d'eau, de cahiers et de stylos. André restait souvent près d'elle quand Benedict quittait la maison. Bérangère montait dans sa chambre dès qu'elle passait la porte, de sorte qu'Agnès n'était jamais seule. Le temps passait plus lentement, il s'étirait. Puis Charles avait tambouriné, la douleur était montée, telle une brique plus lourde qu'elle-même, tout son corps explosait.

Dans le couloir, André et Bérangère attendaient, sagement, qu'on les invite à entrer. Le vieux médecin paraissait confiant. Pendant que sa petite-fille faisait les cent pas, inquiète, il fermait les yeux, se balançait légèrement d'avant en arrière. Depuis l'annonce de la grossesse, André n'avait pas émis le moindre doute quant à la santé de la mère et de son enfant. *Un miracle ne vient jamais seul.* Agnès était forte, de bonne constitution, et Benedict avait très bien pris les choses en main. Aucune raison que ça tourne mal. Aucune. Les forces des Fontaines jouaient de leur côté. On parlerait de cette naissance pendant des années. Ce garçon serait protégé. Par des événements qui dépassaient les hommes, leurs traditions, leurs croyances, leur capacité à se battre contre ce qui les terrassait. Personne n'avait cru en sa venue. Mais il était là. Couvert de sang, hurlant dans la couverture grise de son père, ses quelques cheveux noirs plaqués sur son front minuscule. Dix orteils. Dix doigts. Tout était à sa place.

Une fois qu'Agnès le prit entre ses bras, Benedict ouvrit la porte, invita son père et sa fille à entrer.

Bérangère fondit en larmes. Silencieusement. Les deux mains en coque autour du nez, elle pleurait sans renifler, sans gémir. Elle n'avait pas l'air malheureuse ou effrayée. Les larmes jaillissaient et mouraient sous son menton. Agnès sourit en la voyant si émue et lui tendit l'enfant, que Bérangère prit contre sa poitrine, comme si c'était le sien.

Charles.

Agnès avait choisi le prénom de son grand-père, qu'elle trouvait noble et brut, comme la terre où le garçon naissait. Charles. Un nom royal.

Bérangère s'assit au bord du lit. Sa mère s'assoupissait sur ses oreillers, mais elle gardait les paupières ouvertes. Benedict s'épongeait le front, regardait sa femme et sa fille, béat. Son assistant nettoyait ce qui pouvait être nettoyé, discret et efficace. Au bout de quelques minutes, l'accoucheur prit à son tour l'enfant dans ses bras. Debout près du lit, il se tourna en souriant vers son père, resté dans l'encadrement de la porte. Lorsqu'il vit l'enfant, André tressaillit légèrement, pointa du doigt les pieds de Charles :

– Regarde, Benedict, murmura-t-il doucement.

Le médecin pencha la tête et défit la couverture. Au pied droit, une tache de naissance brune, en forme de haricot, s'étendait sous le gros orteil.

Il sourit, ramena la couverture et plaça l'enfant contre sa mère.

– C'est un drôle de miracle, souffla-t-il.

Bérangère ne pleurait plus. Elle avait fixé le pied de son frère avec surprise. Le corps humain était étrange. Des traces apparaissaient, des taches, des grains, des boutons.

Agnès s'endormit, Charles entre ses bras. Près de la porte, son berceau, le même qui avait accueilli Bérangère à sa naissance, l'attendait. Le père le plaça sous l'édredon. On n'entendait plus que la respiration d'Agnès.

– Elle a besoin de se reposer, dit Benedict en se dirigeant vers la porte.

Bérangère hésita à se lever.

– Je peux rester là ? demanda-t-elle, d'une voix si douce qu'André eut du mal à saisir sa question.

Son père acquiesça et mit son index devant sa bouche. Pas un bruit. Il sortit le premier. André s'attarda sur le berceau avant de le suivre. Il ne souriait pas.

Il ne sourirait plus. Plus jamais.

Le vieil homme

La nouvelle fit le tour des Trois-Gueules en moins d'une matinée.

L'assistant descendit au cabinet, où il croisa le père de Grégoire, qui avertit son fils, lequel déjeuna au Café avec les anciens, qui en parlèrent à leurs femmes, aux fourmis blanches de passage, aux paysans qui déposaient les commandes à l'épicerie. Le bébé allait bien, il s'appelait Charles, ses cheveux étaient noirs et il portait une tache de naissance sous le gros orteil, ce qui, pour certains, était un signe de protection divine. S'il avait eu la même sur le visage, le bras ou le cou, on se serait inquiété ; les anciens disaient que ces traces étaient maléfiques, sauf si la tache se trouvait sous le pied. Alors l'enfant écraserait la mauvaise chance chaque fois qu'il ferait un pas. Dès qu'il apprendrait à marcher, il étoufferait les forces en mettant un pied devant l'autre. Un signe. Le miracle avait eu lieu, et cette tache en était la preuve.

Grégoire félicita Agnès et Benedict. Il se fit offrir le café dans la salle à manger, tint l'enfant dans ses bras quelques secondes, jeta un coup d'œil à son pied pour voir si ce qu'on disait était vrai, puis il serra Benedict contre lui, comme pour le remercier de donner aux Fontaines un enfant inattendu, et béni.

Quand les femmes des Fontaines s'asseyaient dans les lourds fauteuils du salon, Agnès se tenait bien droite sur le canapé, l'enfant contre la poitrine. Tant d'allure, tant de grâce. La peau très pâle, les traits tirés, les hanches, le ventre marqués par la grossesse, et cependant les vêtements soigneusement coupés, assortis, donnaient l'illusion qu'elle venait de passer les neuf derniers mois en ville, à courir de bureau en bureau, à rendre ses travaux universitaires. Son visage portait les traces d'une fatigue habituelle, quotidienne, elle ne ressemblait pas à ces femmes qui s'effondraient et négligeaient leur apparence après leur accouchement. Dès qu'elle l'avait expulsé dans les draps du lit, Agnès avait quitté sa mue de femme enceinte ; lentement mais sûrement, elle retrouvait sa taille, sa poitrine, ses jambes. Et le reste.

Au bout de quelques semaines, elle se promena autour de la demeure, Charles serré contre son ventre, comptant les oiseaux qui s'envolaient depuis la cime des arbres, expliquant à son fils que ce serait bientôt leur jeu. Il apprendrait à reconnaître les pies des corbeaux, les mésanges des hirondelles, ils feraient des « batailles d'oiseaux », elle le laisserait gagner, pour le voir sautiller de fierté sur le tapis du salon, et ils recommenceraient ainsi chaque soir. Elle n'avait pas la même énergie, ne pouvait plus aller aussi loin qu'avec Bérangère. Son corps lui offrait un dernier enfant ; elle ne dormait pas autant qu'avant et se lever la nuit pour nourrir Charles lui semblait plus éprouvant. Même si les femmes des Fontaines admiraient son teint d'albâtre, sa taille régulière, ses jambes affinées, Agnès sentait qu'elle n'apporterait pas autant à Charles qu'à Bérangère. Elle n'était pas une vieille mère, loin de là. Mais, tout de même, une mère en retard. À quarante ans, elle élevait un autre enfant, tandis que sa fille était sur le point de quitter la maison. Aux Fontaines, les mères faisaient leurs enfants entre vingt et vingt-cinq ans, généralement plusieurs d'affilée, filles et garçons. Après, elles s'arrangeaient pour ne plus tomber enceintes, parce que les gens n'avaient ni la force ni l'argent de supporter une grossesse supplémentaire à un âge où le corps ne suivait plus aussi bien qu'avant. Celui d'Agnès tenait le choc, il se remettait doucement, craquant par endroits, comme un vieux plancher, multipliant les surfaces à tendre, à muscler, les boursouflures, les cicatrices.

Charles était un enfant doux, moins bruyant que sa sœur. Moins sauvage aussi. Il ne riait pas mais souriait beaucoup. Ses joues étaient moins rebondies que celles de Bérangère au même âge, il était moins lourd, moins marqué. Il ressemblait à sa mère. Il aurait la finesse de ses traits. Son calme aussi. Ses cheveux, contrairement à ce que pensait Benedict, ne seraient pas noirs mais brun foncé. De la même couleur que la tache qu'il portait au pied. Charles serait aussi beau que sa mère, ça ne faisait aucun doute. On s'extasiait sur ses yeux clairs, ses lèvres pleines, dessinées au fusain par une main délicate et experte. Chacun y allait de sa remarque, de son pari sur l'avenir. Au fil du temps, il deviendrait une sorte de mascotte qu'on saluerait dans la rue, les habitants se souviendraient toujours de sa naissance. Jusqu'ici, on craignait qu'un enfant tombe dans les mâchoires des Trois-Gueules, qu'un autre se noie dans l'étang, ou glisse et ne se relève jamais. On disait que les forces prenaient un enfant tous les dix ans, que c'était le prix à payer. Les forces prenaient ce qu'il y avait à prendre. Pourtant, avec Charles, elles rendaient un garçon aux Trois-Gueules, à la manière d'un animal qui recrache une proie vivante et gluante. Il était là. L'Univers entier le protégeait.

Agnès ne s'ennuyait pas. Quand Benedict reprit le chemin du cabinet, les visites continuèrent. Pendant des semaines. Toujours une bonne âme pour passer du temps avec elle. Elle n'était plus seulement « la femme du médecin » mais « la mère de Charles ». Au début, Agnès avait eu du mal à comprendre l'agitation que provoquait la nouvelle. Après tout, c'était une grossesse, rien de plus. Néanmoins, Charles était un miracle des Fontaines qu'Agnès avait porté dans un corps qui n'était pas fait pour ça, elle était allée au bout, sans faiblir. Les habitants venaient la voir, admiraient son courage. Elle était toujours la femme qu'ils avaient connue, mais ils lui parlaient différemment, ils semblaient la craindre. Certaines femmes tremblaient quand elles tenaient Charles dans leurs bras. Agnès n'avait jamais vu ça. Son enfant n'était pas seulement le sien ; c'était celui des Trois-Gueules, il faudrait qu'elle en tienne compte, qu'elle comprenne qu'elle avait la responsabilité d'un être hors du commun. Les Fontaines en avaient décidé ainsi.

Seul André ne participait pas à l'euphorie générale.

Il s'occupait de Charles, le prenait dans ses bras, l'amusait tendrement, mais chaque fois qu'Agnès croisait le regard de son beau-père, elle y sentait une douleur extrême, innommable. La naissance de l'enfant avait brisé quelque chose en lui. Charles aimait la compagnie de son grand-père et inversement, pourtant elle sentait André fatigué, abattu par un poids invisible. Elle mit cela sur le compte de l'âge. À quatre-vingts ans passés, il ne pouvait plus s'occuper d'un petit-fils comme il s'était occupé de Bérangère, et ni Agnès, ni Benedict ne le lui reprochaient. Il était présent, s'intéressait à la santé du petit et de sa mère, cependant, quand elle le surprenait, seul, dans son fauteuil, Agnès voyait son visage déformé par une grimace de douleur. Immobile, telle une statue rongée par un mal inconnu. Agnès évitait de faire du bruit, elle traversait la pièce, l'enfant dans ses bras, s'attablait à la cuisine, terrifiée par son beau-père, ne sachant comment l'aider. Quand elle en parlait à Benedict, il disait : « Il se fait vieux. » Ça ne l'inquiétait pas. Le soir, quand Agnès et André se faisaient face au salon, elle demandait tendrement :

– Tout va bien, André ?

Alors il levait ses yeux humides, tentait un sourire qui s'échouait au coin des lèvres et répondait :

– Je fais ce que je peux.

Depuis la naissance de Charles, il s'échappait du monde. Bérangère ne s'apercevait de rien. Elle passait plus de temps avec son petit frère qu'avec n'importe qui d'autre. Son grand-père, tant qu'il était en vie et en bonne santé dans son fauteuil, ne l'inquiétait pas. Plusieurs fois, elle avait demandé à Valère de venir à la maison voir Charles, mais il prétextait toujours un travail urgent, un ami à dépanner, une bête à soigner. Quatre mois après la naissance de l'enfant, Valère ne l'avait toujours pas vu. Bérangère en parlait tout le temps, elle lui racontait ses moindres faits et gestes. Il connaissait le déroulement de ses journées en détail, son odeur sans l'avoir reniflée, il savait l'expression de son visage quand il avait faim, quand il dormait. Bérangère décrivait tout. Valère se tuait à la tâche ; il acceptait toutes les nouvelles commandes, les contrats courts, tant qu'on l'éloignait de La Cabane, d'Agnès et de Benedict. Le dimanche, il faisait une exception pour André et descendait discuter au Café avec lui. Depuis la naissance de Charles, Agnès avait déserté l'endroit.

André parlait peu de l'enfant. Le vieillard demandait des nouvelles de ses parents, de ses frères, si la ferme marchait bien. Il s'intéressait à lui. Personne, aux Fontaines, ne lui demandait jamais rien, seul André prenait le temps ; il posait des questions, et Valère aimait sa présence. Au Café, le vieux médecin reprenait vie. Ses yeux pétillaient, il riait, plaisantait avec les habitués. Mais, dès que Benedict arrêtait la voiture devant sa table, dès qu'il remontait à La Cabane, c'en était fini des plaisanteries. Il ne souriait plus. Il n'y arrivait pas. Valère ne voyait rien. Pour lui, André était toujours le même.

Le vieillard avait de plus en plus de mal à sortir du lit le matin. Son corps toussait. Pourtant, ce n'était rien à côté de la terreur qui l'assaillait quand il se couchait le soir, bien avant Benedict et Agnès, dans sa grande chambre à l'étage. Une heure pour se déshabiller, se laver, plier ses vêtements sur la chaise devant la porte. Ensuite il se glissait sous les draps, le dos contre ses oreillers. La lumière allumée, André attendait que le sommeil monte, telle une marée douce et tiède, mais, à la place, Charles lui apparaissait. Dès qu'il fermait les yeux, il voyait l'enfant.

Qu'il était beau, ce garçon. Avec son sourire en coin. Le sourire d'Agnès. Lorsque André le tenait dans ses bras, il le regardait fixement. Parfois Charles s'endormait sur le ventre de son grand-père. L'enfant criait peu, mangeait bien et beaucoup, il avait fait ses nuits rapidement ; le matin, quand Agnès l'extirpait de son berceau, il gazouillait, oiseau fragile aux ailes atrophiées. Aux Fontaines, les anciens déliraient sur sa naissance, ses pouvoirs. Pour la première fois, les forces des Trois-Gueules donnaient un nouveau-né aux habitants au lieu de leur en prendre un. André secouait la tête, ignorant leurs conversations ridicules. Le soir, seul dans son lit, les yeux clos, les doigts serrant ses draps, il ne voyait que Charles, et cette tache sous le pied, cette trace d'un passé qu'il refusait d'admettre, dont il ne saurait être le témoin, mais que la nuit l'obligeait à regarder en face. Ce signe des forces, cette plaie brune et bien fermée couvrant la peau de son petit-fils, il aurait donné sa vie pour qu'elle disparaisse, pour que Charles grandisse avec une peau blanche et pâle, comme celle de sa sœur. Cette tache était une preuve qu'il n'était pas protégé. Que de mauvaises choses arriveraient. André redoutait les années à venir.

L'enfant grandirait.

André ne voulait pas entendre les voix des Fontaines amplifiées par la rumeur, l'écho monter des mâchoires des Trois-Gueules. Un mauvais présage. L'orage s'abattrait bientôt sur eux. Il n'épargnerait personne. Lui était déjà trop vieux pour supporter la tempête, mais Benedict, Agnès et Bérangère souffriraient, plus qu'ils n'avaient jamais souffert, plus que ce que la terre entière pouvait endurer de chagrin et de colère.

Et Valère.

Lorsque André pensait au garçon, la mélancolie débordait, son vieux corps abritait trop de souvenirs. Valère était un bon garçon. Il en était certain. Absolument certain.

Quand était-ce arrivé ?

André ne pouvait répondre. Il ne pouvait pas parler, il ne pouvait pas dire, parce qu'il savait qu'énoncer les choses les rendrait plus terribles encore. Pauvre Charles. Il n'était pas protégé. Il n'était pas béni, mais marqué au fer rouge, et personne, sauf André, ne comprenait. Tout. La noyade d'Agnès, le silence quand ils se croisaient, son désarroi face à Benedict le jour du déménagement des meubles. André voyait tout à présent, il ressentait chaque moment comme s'il avait été à l'intérieur de leurs corps, comme s'il avait été un organe supplémentaire. Ces larmes, ces battements de cœur, ces silences froids ou brûlants, il ne les supportait pas. C'était trop pour un homme de son âge. C'était trop pour un homme.

André savait ce que les habitants ne savaient pas.

Il avait déjà vu la tache, mais sur la peau d'un autre. Sous le pied du père de Maxime. Le grand-père de Valère. Le jour où il avait été sauvé par ses vaches, André s'occupait du malade, et sous son pied droit, derrière le gros orteil, une marque brune, longue, en forme de haricot, teintait sa peau.

Charles n'était pas béni ; ce qu'il avait au pied, c'était une marque de naissance. Transmise par les hommes du même sang. Ce genre de trace sautait une ou deux générations. Rarement, mais ça arrivait. André supposait que Valère ne la portait pas, son grand-père était mort avant sa naissance et Maxime n'était pas marqué. Malgré tout, c'était la même, nette et précise. Charles était un enfant de leur sang. André en était affreusement certain. Le grand-père de Valère n'était plus de ce monde, il n'y avait aucune preuve. C'était sa parole contre le silence digne d'Agnès, contre l'absence de Valère depuis des mois. Quand était-ce arrivé ? Où ? Il ne savait pas.

Il était trop vieux, trop fatigué pour chercher des réponses. Mais il savait. Et comme la plupart des hommes qui savent mais ne peuvent rien dire, il souffrait terriblement.

Il savait.

Charles était le fils de Valère et d'Agnès.

L'enfant prodige

La deuxième fête des Fontaines à l'étang fut un succès. Grégoire proposa de la rebaptiser « fête de l'Étang »
mais on refusa net. La fête des Fontaines resterait la
fête des Fontaines. Grégoire accepta sans broncher,
néanmoins sa proposition marqua le début de la fin.
Ses actions pour les Trois-Gueules avaient porté leurs
fruits, pourtant il était persuadé que les gens ne s'en
rendaient pas compte, qu'ils ne comprenaient pas tout
ce qu'ils lui devaient. Parfois il crachait son venin en
privé, lors de discussions qu'il croyait amicales et sans
conséquence. Le jour de la fête, un an après la fameuse
noyade d'Agnès, des voix s'élevèrent contre le maire.
Ivre d'orgueil, il n'entendait pas, ou faisait semblant
de ne pas entendre.

Benedict et Agnès passèrent leur journée autour de
la table principale, Charles sur les genoux, recevant les
éloges des uns et des autres. De l'autre côté de la plage,
Valère leur tournait le dos, les yeux défiant les reflets
du soleil à la surface de l'eau. *Ce n'est qu'un enfant*,
pensait-il en serrant les dents. *Juste un enfant.* Il se
demandait si Agnès pensait à lui, à eux, là, maintenant,
lorsque Charles s'endormait sur ses genoux. Depuis le
début de la fête, elle n'avait pas posé les yeux sur lui.
Ils s'étaient maladroitement dit bonjour en arrivant,

puis Grégoire avait surgi et complimenté Agnès sur sa taille fine, son teint parfait. Valère en avait profité pour fuir avec Bérangère sur le ponton. Pas de noyade cette fois-ci. Agnès ne retournerait pas dans l'eau.

Il faisait moins chaud que l'année précédente. André portait une chemise sous son pull. Il n'avait pas voulu rester à table trop longtemps, agacé par les questions des anciens qui voulaient « tout savoir » sur Charles. Il s'installa un peu plus loin, à l'opposé de la scène où un autre groupe de musique jouait des classiques pour des vieux qui dormaient sur leurs chaises. La nourriture était bonne. André se resservit plusieurs fois. De là où il se trouvait, il observa Valère et Bérangère, au bord de l'eau, qui paraissaient amoureux, prêts à tout affronter. Il se demandait si Valère savait que c'était son fils qu'Agnès tenait dans ses bras, si Agnès se doutait que Valère était le père de Charles. Il se demandait s'ils en avaient parlé, s'ils s'étaient mis d'accord. Il ne supportait pas de les voir là, tous les deux, si proches et si éloignés à la fois, pendant que son fils fanfaronnait. Quand Agnès croisait son regard, il le soutenait, avec dureté, il voulait des réponses. Curieusement, il n'était pas en colère contre Valère et Agnès ; simplement blessé, profondément blessé.

Un enfant. Un jour, quelqu'un découvrirait la vérité, et ce quelqu'un parlerait. Quand les gens parlaient aux Fontaines, ils parlaient beaucoup, longtemps et très fort. Peu importait si Valère et Agnès savaient ce qu'il se passait, il fallait protéger Charles, et Benedict. Il fallait protéger les Trois-Gueules d'un scandale dont les deux familles ne se remettraient jamais.

Charles dormait sur les genoux de sa mère et André observait Agnès. Sa belle-fille avait toujours été une femme accomplie. Puissante. Benedict ne l'avait pas domptée. Elle était belle, sauvage, intelligemment discrète. Que s'était-il passé ? Comment ce garçon, cet adolescent des Fontaines, avait-il pu l'émouvoir au point qu'elle accouche de son enfant ? Est-ce que quelqu'un les avait vus ?

Personne, aux Trois-Gueules, ne mentionnait jamais Agnès ou Valère qu'en bons termes. Des exemples à suivre. Des modèles de travail, d'intégrité. Même maintenant, en les regardant longuement, André se demandait si ces deux-là s'étaient réellement aimés. Ils se comportaient comme s'ils n'existaient pas l'un pour l'autre. Valère tenait Bérangère dans ses bras, Agnès acceptait la bouche de Benedict dans son cou. Ils batifolaient, innocents et sympathiques. André n'y croyait pas, son cœur s'emballait dans sa poitrine, son visage blêmissait. Comment pouvaient-ils ignorer la catastrophe ? Il y aurait un scandale. Peut-être dans dix ans. Peut-être avant. Peut-être après. Charles n'était pas béni : c'était un enfant maudit. Plus André observait ses véritables parents, plus il se persuadait qu'ils ne s'étaient pas parlé depuis l'annonce de la naissance de Charles.

Valère semblait ignorer qu'il s'agissait de son fils.

Agnès faisait comme si Benedict était son père, et peut-être s'en était-elle convaincue. Il n'y avait pas d'autre solution pour eux que de fermer les yeux. Sur leur amour. André tentait de les détester mais il n'y arrivait pas. Ils semblaient si loin de comprendre ce qui était en train d'arriver. Agnès avait aimé un beau garçon, Valère avait aimé une femme libre. Personne ne savait. Charles était là. Apaisé. Endormi. André pensait avoir tout vu, mais cette histoire le dépassait. Parce qu'il était le seul à savoir, et cela le rendait fou.

Au bord de l'eau, Bérangère, dans les bras de Valère, regardait les nénuphars danser. Elle était comblée. Son petit frère allait bien. Valère resterait aux Fontaines pour s'occuper de la ferme familiale. Il parlait souvent de l'exploitation voisine, tenue par un couple de vieux sans enfants qui vendraient bientôt leurs terres. Si la famille investissait, Valère deviendrait propriétaire, et probablement le paysan le plus riche des Trois-Gueules. Il y pensait. Bérangère le sentait perdu dans ses calculs ; ses lèvres remuaient quand il imaginait les travaux, les bêtes, les bottes de foin. Son futur mari savait déjà qu'il deviendrait quelqu'un d'important, peut-être même l'avait-il toujours su. Il aurait bientôt dix-neuf ans, pensait comme un homme habitué au travail, à la rudesse de la terre, aux comptes qu'il fallait tenir, aux bêtes qu'il fallait soigner. Valère n'était plus un garçon depuis longtemps, c'était en partie pour cette raison qu'elle l'aimait. Il ne s'attendrissait pas sur Charles et cela ne la dérangeait pas : Les Fontaines s'en occupaient pour lui. Pendant que les garçons cancanaient dans leur coin, Valère pensait à l'avenir, à ce qu'il apporterait aux Trois-Gueules. Il n'imaginait pas sa vie sans Bérangère. Il le lui répétait chaque jour, comme un chant sacré, elle ne s'en lassait pas.

Depuis la naissance de Charles, elle savourait sa nouvelle existence. Ses parents la laissaient tranquille, elle rentrait plus tard que prévu, prenait le petit déjeuner seule, se levait tard le week-end. Elle ne découchait jamais. Le reste du temps, elle était libre comme l'air. Ses notes avaient un peu baissé, mais elle demeurait une des meilleures élèves. Il lui restait un an au lycée Charrier ; pendant que Valère travaillerait à la ferme, elle terminerait sa scolarité sans fausse note, comme elle avait toujours vécu, comme sa famille avait toujours vécu. Leurs vies filaient tels des trains traversant des plaines calmes et vides, tout semblait si simple, si facile, ils avaient de l'argent, de l'espace, Valère aimait Bérangère, Benedict aimait Agnès, tout s'imbriquait parfaitement et elle se demandait pourquoi la chance était tombée dans son berceau. Dans le sien. Bérangère n'avait jamais eu de chagrin. Ses soucis d'adolescente semblaient bien futiles à présent : le soleil brillait sur la fête des Fontaines, elle sentait le cœur de Valère battre sous son oreille.

Lorsque la ronde des courtisans prit fin autour de Charles, Benedict bâilla, étendit ses bras au-dessus de sa tête et chuchota à l'oreille de sa femme :

— Cela fait longtemps que nous n'avons pas été ensemble. Juste nous deux.

Agnès eut du mal à cacher sa surprise. Son mari n'avait jamais émis le souhait qu'ils se retrouvent en tête à tête, autrement que le soir, dans leur lit.

— À quoi penses-tu ? répondit-elle doucement, sans réveiller Charles.

Elle fixait son mari comme si elle le voyait pour la première fois. Benedict rayonnait.

— Samedi prochain, nous pourrions dîner ensemble au Café. Et ensuite, une promenade ?

Agnès n'en revenait pas. Depuis quand n'avaient-ils pas arpenté main dans la main les chemins en bordure des Trois-Gueules ? Dix ans ? Quinze ans ?

— Et Charles ? dit-elle en secouant le menton.

— André peut le garder à la maison. C'est un médecin avant tout, ajouta-t-il, le ton rieur. On peut aussi demander à Bérangère et Valère si tu penses que mon père est trop âgé.

Agnès se raidit. Un mouvement imperceptible de la nuque. Il était hors de question que Valère garde son enfant. Il n'avait plus rien à faire à La Cabane. C'était terminé.

– Je fais confiance à André, dit-elle, piquée au vif.

Benedict l'embrassa dans le cou, l'air ravi. Il ressemblait à un adolescent lors de son premier rendez-vous. Idiot et naïf.

Agnès berça l'enfant. Sa fille se trouvait en face, avec Valère.

Valère.

Comment avait-elle pu penser qu'elle l'aimait ? Pourquoi son corps lui avait-il joué un si mauvais tour ?

Benedict rejoignit Grégoire devant la scène. Pour la première fois depuis le début de la fête, Agnès se retrouvait seule.

Valère l'avait bouleversée. Un tremblement de terre. Quand elle avait rencontré Benedict à l'université, le choc n'avait pas été aussi fort. Mais ce garçon était d'un autre monde, d'un autre temps aussi, il lui avait tenu tête, et son corps s'était tendu vers lui, offert à lui. Valère l'avait réveillée. Quelque temps plus tard, ce corps enfin vivace lui donnait un enfant. Valère l'avait réveillé.

Elle tourna la tête en direction de la scène où le groupe déjeunait. Les musiciens étaient assis à même les planches, dévoraient des tranches de lard et des œufs dans des assiettes en carton. En se redressant sur sa chaise, elle réveilla Charles qui se mit à pleurer doucement. Elle le porta contre elle, sa tête posée sur son épaule, et lui murmura une chanson qu'elle avait apprise à Bérangère au même âge. Tandis qu'elle soufflait des mots doux à l'oreille de son fils, elle croisa le regard d'André et cessa immédiatement de chanter, ce qui intensifia les pleurs de Charles.

Le vieux médecin la fixait comme un animal empaillé. Ses yeux ne se détournaient pas d'elle. Ils tentaient de percer son corps, son esprit, ils voulaient passer à travers sa peau. Elle détourna le regard et reprit sa chanson, l'air terrifié, attendant que la nuit tombe pour retrouver Benedict et remonter à La Cabane.

Dans la voiture, André ne dit rien. Agnès sentait sa présence. Est-ce qu'il avait vu quelque chose ? Est-ce qu'il avait entendu des ragots ? Elle n'osait pas l'affronter. Il savait quelque chose, quelque chose qu'elle ne savait pas, quelque chose que son regard avait tenté de lui dire, de lui faire comprendre, mais Agnès restait digne, sourde à ses appels.

Charles était le fils de Benedict.

Point final.

Le reste faisait partie d'une sale histoire, d'une histoire courte et sans intérêt qu'elle refusait de raconter. Le reste n'était pas suffisant. Et ça n'avait plus aucune importance.

Un soir au village

Le samedi suivant, la chaleur étouffait Les Fontaines. Les herbes craquaient, les arbres ressemblaient à des bras maigres tendus vers le ciel. André avait passé la journée dans le salon : il buvait du thé et lisait un roman d'aventures, enfoncé dans son fauteuil.

Quand Benedict descendit, habillé pour sortir, André sentit une tristesse infinie secouer son vieux corps, mais il sourit, et se leva pour serrer son fils dans ses bras, longtemps, avec tendresse. Benedict fut surpris par ce geste, pourtant il appréciait ces rares démonstrations d'affection. André vieillissait. Son fils acceptait qu'il change, qu'il ait besoin de lui faire comprendre qu'il l'aimait, qu'il l'avait toujours aimé, depuis le jour des gaufres. Élise vivait toujours dans son petit appartement du centre-ville et Benedict la voyait peu. De moins en moins. Il avait envoyé une lettre pour la naissance de Charles et elle avait répondu par une carte postale. « Merci. » Rien d'autre.

Agnès descendit à son tour. Elle portait une robe légère bleu clair nouée à la taille, des ballerines foncées, ses cheveux en chignon bas encadraient parfaitement son beau visage, plus mince, plus creusé qu'avant. À ses côtés, Benedict paraissait pataud. André esquissa un geste en direction de sa belle-fille mais n'eut pas le cran de la toucher. Comme s'il craignait de se brûler.

Benedict et Agnès avaient prévu de rentrer avant minuit, mais André pensait que leur escapade durerait plus longtemps. Ils avaient besoin de se retrouver. Et lui d'habiter cette demeure, cette grande maison où un enfant était mort, quarante ans plus tôt, dans la chambre qu'occupait désormais Charles. Ils passeraient la soirée tous les deux, entre hommes. Bérangère était avec Valère, ils pique-niquaient au bord de l'étang, à la belle étoile, sur des couvertures propres qu'ils étendaient à quelques mètres du rivage.

Benedict et Agnès quittèrent la maison bras dessus, bras dessous. André entendit la voiture démarrer ; il ne s'avança pas devant la vitre pour la regarder couper le paysage. Dehors, les oiseaux fuyaient la chaleur. La nuit tombait. Charles dormait. Et il vieillissait. Tout était passé si vite. Son arrivée au Trois-Gueules. La maison. Élise et Benedict. Bérangère.

Et Valère.

André tourna les talons et se servit un rhum dans la cuisine. L'alcool fila dans son estomac tel un lombric chaud et rapide. Il buvait peu. Et rarement. Tout était passé si vite. Sa vie défilait devant ses yeux. Il voyait tout. Agnès. Qu'elle était belle. Qu'elle était vive. Benedict était un bon garçon, mais pas à la hauteur d'une fille pareille. Elle était si sûre d'elle, si libre et sauvage. Elle était tombée amoureuse de lui parce qu'il était un homme bon. Elle était tombée amoureuse de Valère parce qu'il était un homme fort.

André se resservit un verre. Quel bonheur. Il pensa qu'Agnès et Valère avaient dû souffrir terriblement. Personne n'avait rien vu, personne ne savait, personne ne parlait. Ils avaient fait taire leur désir, leur amour, André imaginait la douleur, le silence, les faux sourires, la vie quotidienne, infâme, insipide, les conversations à suivre pour ne pas paraître impolis. Ils avaient été courageux. Et malins. Personne ne savait. Mais Charles était là. Agnès avait beau se persuader du contraire, il était le fils de Valère.

Un jour, quelqu'un d'autre saurait.

La famille d'André serait anéantie.

La famille de Valère serait détruite.

Il n'y avait pas de secrets aux Trois-Gueules. Pas de secrets. Un jour, quelqu'un saurait.

Il soupira, et se dirigea lentement vers l'escalier, qu'il gravit comme les vieillards font, en agrippant la rampe, une pause à mi-chemin, le souffle court et le dos voûté.

Des voix contraires

Bérangère attendait dans l'étable, à côté de Valère qui rentrait les vaches. Elles meuglaient. Il n'y prêtait pas attention. Les plus lentes à l'arrière n'aimaient pas qu'il les pousse à accélérer le mouvement. Bérangère voyait leurs grands yeux rouler de droite à gauche. Les autres regardaient la fille depuis le fond de l'étable, leurs pattes piétinaient le foin, leurs oreilles remuaient en cadence. Bérangère se sentait démunie face à ces paires d'yeux qui la fixaient. Les vaches ne regardaient pas Valère. Elles s'étaient habituées à sa présence. Et contrairement à Aimé, il les traitait bien. Non, elles fixaient Bérangère, les naseaux écartés.

Ils sortirent à la nuit tombée et dînèrent avec Maxime et Delphine. D'ordinaire, les parents de Valère appréciaient la compagnie de Bérangère. Elle était toujours curieuse, polie, dynamique. Mais ce soir-là, ils parlèrent peu. Les parents échangèrent quelques banalités à propos des bêtes qu'il faudrait vendre et de la chaleur, puis Delphine débarrassa la table rapidement, refusant l'aide de Bérangère.

Une fois le repas terminé, ils montèrent à l'étage et s'écroulèrent sur le lit de Valère, qui sentait bon la lessive et le foin. Une drôle d'odeur que Bérangère trouvait rassurante. Valère la prit dans ses bras et remonta les oreillers derrière lui. Ils restèrent ainsi longtemps, silencieux.

— Il y a un problème ? demanda Bérangère en se tortillant sur elle-même.

Elle était gênée. Impuissante face au silence pesant de Delphine et Maxime.

— De quoi est-ce que tu parles ? dit Valère en fronçant les sourcils.

Bérangère se figea. Il ne bougea pas. Son corps fatigué reposait contre ses deux grands oreillers. Un roi.

— Tes parents avaient l'air bizarre ce soir. Ils ne m'ont presque pas parlé.

Sa respiration la trahissait.

— Ce ne sont pas de grands bavards, dit-il simplement.

Il voulait dormir. Se reposer. La journée avait été longue et chaude. Le pire pour un paysan.

— Tu vois ce que je veux dire, continua-t-elle, alors qu'il fermait les yeux.

Valère se redressa en soufflant. Il détestait quand elle ne lâchait pas le morceau. Bérangère était coriace. Elle ne se laissait pas faire. Comme Agnès.

— Explique-moi.

Elle inspira un grand coup.

— Ils ne me regardent pas, ne me parlent pas. Ta mère a débarrassé la table comme si elle voulait me chasser.

Il s'avança vers elle, le buste incliné, et dit d'une voix la plus douce possible :

— Un homme est venu ce matin. Il a demandé à mes parents s'ils voulaient vendre le terrain.

Bérangère fixa Valère un long moment. Elle avait l'impression qu'il se fichait d'elle.

— Quel rapport avec moi ? siffla-t-elle, la bouche pincée.

— Tu ne comprends pas ?

Derrière Valère, les oreillers écrasés contre le mur avaient l'air moins accueillants, moins doux.

– Cet homme vient de la ville. Il s'intéresse aux terrains des Trois-Gueules. Il a dit qu'il était un ami du nouveau dentiste.

Bérangère essayait de comprendre. Des inconnus tapaient aux portes pour acheter les terrains des Fontaines. Des hommes de la ville. Des hommes riches. Amis des médecins que son père avait amenés, quelques mois plus tôt.

– Les amis de ton père, les médecins, ils connaissent du monde, conclut Valère en tournant la tête.

Il quitta son lit, ouvrit la fenêtre et s'accouda contre la balustrade en fer. Bérangère le regardait sans rien dire. Des hommes riches s'intéressaient aux Trois-Gueules. Ils voulaient construire, pas cultiver.

– Tes parents m'en veulent parce qu'ils pensent que c'est la faute de mon père ?

Bérangère eut du mal à croire qu'elle était en train de dire ça. C'était stupide.

– C'est l'idée, oui.

Dehors, la tempête approchait. Le ciel était noir, sale, et bruyant.

L'orage

Benedict et Agnès dînaient au Café quand l'orage gronda au-dessus des Fontaines. Il avait fait chaud ces derniers jours.

Le restaurant était plein. La terrasse grouillait de vieux qui buvaient des digestifs avant de rentrer dormir, de jeunes couples amoureux et de gens comme eux, entre deux âges, qui sortaient simplement prendre l'air, sans enfants, sans contrainte.

Ils s'installèrent sous l'auvent. La pluie tomberait bientôt, ils ne voulaient pas avoir à se déplacer. Au-dessus du clocher de l'église, les nuages noirs moussaient, menaçants. Clément avait fermé la porte et s'était réfugié dans le presbytère. Ceux qui fréquentaient l'église lui apportaient des croissants chauds, des sandwichs, des gâteaux, mais il ne mangeait pas devant les autres. On lui disait bonjour. On lui demandait des nouvelles de Dieu. Et il répondait toujours :

– Il a connu pire, il a connu mieux.

Ils commandèrent des tomates farcies à la viande de lapin, une terrine de légumes, du vin rouge et des petits pains aux olives. Leur table était propre et couverte d'une nappe bleue. Ils n'avaient pas fait ça depuis longtemps. Benedict demanda à Agnès si la ville lui

237

manquait, si son métier l'intéressait toujours autant. Il voulait savoir ce qu'elle prévoyait, une fois que Bérangère aurait quitté La Cabane.

– Nous avons un an pour décider, Benedict, dit-elle en riant.

Il piocha un toast dans l'assiette que le serveur avait apportée. Il n'avait pas faim. Il désirait simplement être seul avec sa femme. Benedict jeta un coup d'œil autour de lui ; comme d'habitude, Agnès était la plus belle des Fontaines.

– J'aimerais rester ici, reprit-il en avançant sa chaise, afin de pouvoir caresser la cheville d'Agnès du bout des doigts.

– J'aimerais aussi, répondit-elle, l'air malicieux.

C'était agréable. Elle ne s'attendait pas à aimer ça. Pas autant.

Le ciel gronda de plus belle. Un éclair stria les nuages au-dessus de l'église et les anciens quittèrent rapidement le Café.

– Ce n'est qu'un orage, dit Agnès, en dévorant sa viande.

Elle adorait le lapin. Benedict n'en cuisinait jamais.

– Les orages font peur ici, rétorqua-t-il.

– Il n'y a pas de quoi s'inquiet…

Une nouvelle décharge interrompit Agnès. Un bombardement. Le serveur leur demanda s'ils désiraient une table à l'intérieur, et malgré les réticences d'Agnès, Benedict accepta de bon cœur.

Il avait raison. La pluie ne venait pas, mais l'électricité tigrait le ciel, griffait la falaise et laissait des traces multicolores et étincelantes qui s'effaçaient rapidement.

– C'est sérieux, murmura Benedict.

– Ne fais pas l'enfant.

Agnès appuyait là où ça faisait mal.

Dans la salle, les habitués se taisaient. On attendait que la foudre tombe. Les éclairs, nombreux, et le tonnerre assourdissant qui les accompagnait terrifiaient les habitants. Le patron, derrière son comptoir, murmura à son serveur :

– La foudre va frapper en hauteur.

Benedict devint blême. Devant lui, Agnès finissait tranquillement le plat de son mari. Elle était affamée.

– Nous devrions rentrer plus tôt, murmura-t-il, la voix tremblante.

Agnès leva les yeux. Elle ne riait plus. La mine défaite de Benedict lui indiqua que la soirée était terminée.

– Tu veux réellement prendre la voiture par ce temps ?

Benedict jugea la couleur du ciel. Il y avait un risque à conduire par un temps pareil. André lui avait toujours dit de s'abriter et d'attendre. Les orages étaient terribles, mais courts.

– Tu as raison, souffla-t-il. Attendons.

Agnès esquissa un sourire. Elle avança la main et caressa celle de son mari.

– Il n'y a pas à s'inquiéter. Charles est en sécurité.

Benedict secoua la tête et étira ses jambes sous la table. Un orage. Rien d'autre. Il était médecin, avait vu des corps ouverts, mutilés, purulents et il craignait l'orage.

Il appela le serveur et commanda un digestif. Agnès demanda la carte des desserts, mais au moment où il la lui tendait, les regards se tournèrent vers l'église.

Un homme descendait la grand-rue en courant. Sa chemise était trempée de sueur. À mesure qu'il approchait du Café, Agnès reconnut l'ébéniste. Il vivait au Chalet-Bas. À moins d'un kilomètre de La Cabane.

L'homme se jeta à l'intérieur du Café et le patron posa ses énormes mains sur ses épaules pour l'apaiser. Il tremblait de tous ses membres. Benedict crut qu'il n'arriverait pas à reprendre son souffle et se dirigea vers lui, un verre d'eau à la main. Arrivé à sa hauteur, il tenta de le rassurer, mais l'ébéniste lui saisit le bras violemment, enfonça ses ongles dans sa chair et s'écria :

– La foudre est tombée ! La foudre est tombée sur le toit !

Dans les flammes

L'incendie ravagea La Cabane. Lorsqu'ils arrivèrent, juste après les pompiers, les fourmis noires maîtrisaient les flammes à l'aide de longs tuyaux qui dansaient dans les airs. La pluie tomba dru quelques minutes plus tard, éteignant définitivement le feu, laissant des débris de murs noircis, une odeur atroce de bois brûlé, trempé, de cendres chaudes et de terre humide.

L'assistant de Benedict attendait sur les lieux. La terrasse avait été détruite, tout comme le toit et les pièces à l'étage. Le salon et la cuisine puaient la fumée, le sol était jonché de morceaux de meubles calcinés. L'odeur était insupportable. L'air charriait la brume qui fuyait dans la vallée, offrant un spectacle de désolation insoutenable. Des dizaines d'habitants étaient montés à la rescousse, mais trop tard. Quand l'ébéniste avait vu la fumée monter dans les airs depuis sa maison, il avait couru aussi vite que possible au Café. Au retour, la demeure brûlait, torche immense, à flanc de montagne, elle crachait des morceaux de pierre et de bois dans les champs. Gueule béante, infernale.

Benedict gara la voiture trois cents mètres en contre-bas. Agnès était assise côté passager, l'air hébété. L'infirmier lui avait administré un calmant puissant. La vue des flammes depuis le Chalet-Haut avait provoqué chez elle un délire comparable à nul autre ; elle s'était mise à hurler, à griffer Benedict, à cracher telle une furie, les larmes se mélangeant à la salive et au sang de ses gencives. Elle avait lacéré sa robe en criant :

– Charles, Charles !

Mais Benedict avait beau accélérer, il ne pouvait pas aller plus vite. Et ça ne servait à rien. Sans doute Agnès avait-elle compris ce qui était en train d'arriver.

Impuissante, elle avait cédé à la terreur. Cette folie, jusqu'ici tenue éloignée, l'envahit d'un coup.

Son chagrin ravageait son corps, son esprit, elle ne voyait plus rien, n'entendait personne. Elle était une plaie hurlante, un long beuglement, ses phrases n'avaient aucun sens. Quand Benedict arrêta la voiture, le visage et les vêtements lacérés par les ongles de sa femme, il sortit en trombe et appela l'infirmier, arrivé sur les lieux quelques secondes plus tard, pour qu'il s'occupe d'Agnès.

À présent, elle se tenait courbée sur son siège, bavant sur ce qu'il restait de sa robe. On l'avait emmitouflée dans une couverture épaisse. Ses yeux vides fixaient un point dans l'herbe mouillée. Son corps était là, mais son esprit, écrasé par les calmants, ne répondait plus. Elle n'était qu'un ensemble de muscles et d'organes qui fonctionnaient. Le sang circulait. Le cœur battait.

Dans la maison, les pompiers tentaient de dégager le passage jusqu'au salon et grimpèrent l'escalier principal, dont la rambarde était tombée au sol, où l'eau dégoulinait depuis les combles effondrées. Des courants d'air giflaient le visage de Benedict : il avançait derrière eux, tel un soldat à couvert. Autour de lui, des débris de son existence. Tout avait brûlé. La pluie recouvrait chaque objet, chaque morceau du passé.

Les pompiers ouvrirent une par une les portes à l'étage. Benedict crut qu'il se trouvait en enfer. Tout était noir et souillé, il ne reconnaissait rien. Il ne pensait pas à Agnès. L'attente était insupportable ; les fourmis grises se déplaçaient rapidement, elles cherchaient les corps, ou du moins ce qu'il en restait.

André fut sorti par les pompiers quelques secondes après qu'ils eurent gravi les marches. Inconscient. Mais vivant. Il avait résisté. L'infirmier tenta de le réanimer, mais les poumons étaient endommagés. Son cœur battait lentement. L'assistant de Benedict n'avait pas les moyens de le soigner sur place ; il fit signe aux pompiers. André devait être emmené à l'hôpital. En ville. De l'autre côté.

L'ambulance quitta les lieux à peine trois minutes plus tard. Agnès aurait pu la voir dévaler le chemin jusqu'au Chalet-Haut. Mais elle ne regardait pas.

Dans la maison, après qu'on eut évacué le vieillard, les fourmis noires écartèrent Benedict, qui se débattit comme un acharné, hurlant qu'il était chez lui et que ces hommes n'avaient pas le droit de l'empêcher de voir. Tandis qu'un pompier le maîtrisait et l'obligeait à descendre, il entendit des bruits de pas dans la chambre d'André. Les hommes fouillaient la pièce, ils retournaient les meubles, débarrassaient le plancher. Benedict savait ce qu'ils cherchaient.

On l'emmena dehors. Des bras musclés le tenaient par le cou. Malgré ses cris, malgré sa fureur, les fourmis noires faisaient leur métier. Il était un obstacle, un morceau de cette maison. Brûlé, comme le reste. Éparpillé. On le fit asseoir sur les marches. Les pompiers l'entouraient. On aurait dit un prisonnier dangereux qu'on surveille. Ses vêtements étaient sales et déchirés, des larmes de colère et de chagrin creusaient de longs sillons sur ses joues balafrées, il sentait le goût des cendres et du sel dans sa bouche. Il voulait parler, demander de l'aide, mais les mots restaient coincés. Son estomac s'était rétréci ; une noix dans le ventre, une noix dure et lourde qu'il transportait, une noix de plomb.

Au bout d'un moment interminable, le chef des pompiers s'assit à ses côtés. Le médecin ne l'avait jamais vu dans son uniforme ; la plupart du temps, il traînait au Café le dimanche matin, avec les habitués.

– Je suis désolé, Benedict. Sincèrement désolé.

Un autre homme les contourna, un sac gris métallisé tenu par des sangles sur un brancard miniature.

– Un enfant de cet âge ne peut pas survivre. C'est la fumée.

Benedict leva la main pour que l'homme cesse de parler.

La joie des mois précédents lui revint ; la naissance de Charles, de ses premiers repas, des nuits où il se levait pour le nourrir. Sa mémoire fit jaillir des couleurs atroces, des rires insupportables, des souvenirs heureux, tellement heureux. Le père mit ses mains devant ses yeux et secoua violemment la tête de gauche à droite pour chasser ces visions, mais plus il s'agitait, plus les images se faisaient belles et étincelantes, icônes indestructibles. Il s'épuisait, voulait se crever les yeux. À bout de forces, le nez débordant d'eau de pluie, de morve et de salive, il se mit debout, comme une marionnette cassée, et se dirigea vers son infirmier.

– Conduis-nous en ville, André est là-bas, dit-il en désignant sa voiture du doigt.

L'infirmier acquiesça. Les pompiers regardaient Benedict. Il ne marchait pas droit. Son dos semblait tordu. Ses gestes trahissaient son désordre intérieur.

Une autre voiture arriva au moment où l'infirmier tentait de faire sortir Agnès, lourde et placide sur ses bras. Elle ne bougeait pas. Un vrai chiffon. Trempé.

Au milieu du chemin troué de flaques d'eau, Grégoire avançait vite, serré dans un long imperméable. Sa bouche tremblait légèrement. Il désigna Benedict du menton et aida Agnès en passant son bras derrière son dos.

— Je les emmène en ville, dit-il sèchement.

Puis il avisa le chef des pompiers, leva la main vers lui, inclinant l'index vers la maison en le faisant pirouetter au-dessus de sa tête : « Nettoyez-moi tout ça. »

Retour en ville

André était seul dans sa chambre.

– Un ancien médecin a des privilèges, dit l'infirmière.

Il s'était réveillé plusieurs heures après l'incendie. Trois côtes cassées. Des hématomes partout. Il ne pouvait plus respirer seul. Des tuyaux blancs et fins reliés à un masque lui apportaient l'oxygène nécessaire. L'infirmière avait dit qu'il mourrait bientôt, et sans douleur. Selon elle, c'était un miracle qu'il ait survécu à l'incendie. « Un vrai miracle. »

Benedict déambulait des heures dans les couloirs. Son père était conscient mais parlait peu. Il avait demandé si Charles était dans le même service que lui et Benedict avait fait non de la tête. André s'était tourné du côté de la fenêtre. Sans rien dire. Les yeux plantés dans le paysage. Des immeubles du siècle dernier bien alignés, des oiseaux sur les toits. On entendait dans la cour les bruits des enfants qui chahutaient, des infirmières qui discutaient et des familles qui attendaient des nouvelles. André n'avait rien dit. Il espérait mourir vite.

Benedict partageait son temps entre la chambre de son père et l'appartement d'Élise, où Agnès et lui habitaient. Sa mère avait tenu à ce qu'ils viennent chez elle, ils ne trouveraient pas un appartement dans de telles conditions, et Agnès n'était pas en état de rester seule. Ils dormaient dans la chambre d'Élise, elle avait pris celle de Benedict.

Les premiers jours, quand il rentrait après des heures d'attente à l'hôpital, Agnès dormait. Longtemps. Quand elle s'éveillait, elle s'enfonçait dans les oreillers, pour disparaître, pour oublier que Charles avait sauté en marche et qu'elle ne pouvait rien faire. Soit elle restait au lit, dans les limbes du sommeil, abrutie par son chagrin et les calmants, soit elle sortait de cette chambre et s'attablait aux côtés d'Élise qui ne disait rien, parce qu'il n'y avait rien à dire.

Alors elle restait au lit. Et elle dormait. Cachée entre les draps. Élise l'obligeait à s'alimenter. Le minimum vital. Agnès rêvait de son fils, de ses cheveux bruns, de son sourire, de sa façon de s'endormir contre sa poitrine, de son souffle la nuit, elle imaginait ses derniers instants. Avait-il eu peur ? Avait-il pleuré ? André s'était-il rué dans sa chambre ? Elle revoyait la maison brûlée, les morceaux de bois que les pompiers jetaient du premier étage pour accéder aux chambres. Elle revivait la scène avec précision. Les calmants n'avaient fait qu'apaiser la crise ; le mal était en elle, il détruisait tout. Dès qu'elle essayait de parler, les mots restaient coincés dans sa gorge. Elle était habitée par une rage fragile, peureuse, qui la rongeait de l'intérieur, un rat affamé dévorait ses entrailles et elle restait dans son lit, prête à disparaître. La détresse modifiait ses traits, elle perdait ses couleurs, ses cheveux devenaient cassants et raides. Ils s'assombrissaient. Quand Benedict rentrait, il s'asseyait près d'elle. Il pleurait dans son cou et elle ne bougeait pas. Parfois ses doigts prenaient les siens, mais elle attendait qu'il termine, qu'il se taise, parce qu'elle n'avait plus de larmes à offrir, plus de hurlements. Il lui restait du sang, des muscles, de l'eau. Des organes. Des traces d'humanité qu'elle étouffait en plongeant dans le sommeil comme dans un bain d'eau glacée.

Mais elle se réveillait toujours. À ses côtés, malgré sa douleur, Benedict apprenait à vivre ; son père était à l'hôpital, il l'accompagnerait jusqu'à la fin. Élise faisait de son mieux. Discrète et silencieuse. Agnès oubliait sa présence. Elle ne la sentait plus, ne l'entendait plus. L'appartement était calme, propre, aéré. Dehors, le tramway s'arrêtait à quelques centaines de mètres de l'entrée de l'immeuble. Agnès se demandait quel effet ça faisait, de monter à l'intérieur, de composter son ticket, de s'asseoir à côté de ceux qui continuaient à vivre, emmitouflés dans des manteaux de laine, en route pour un rendez-vous à l'autre bout de la ville. Elle se demandait si elle pourrait, un jour, sortir de cet appartement. Accepter la lumière du soleil.

Le septième soir après leur arrivée en ville, Benedict débarqua dans la chambre et réveilla sa femme. Elle était tournée contre le mur. Ses os saillants sous sa chair incolore lui répugnèrent.

– Agnès. (Elle grogna.) Agnès, André veut te voir.

Elle ouvrit les yeux. Le plafond était blanc crème. Comme avant. Quand elle travaillait à l'université.

– André veut te voir avant de…

Benedict ne termina pas sa phrase.

Agnès se redressa. Ses membres répondaient mal. Elle regarda Benedict qui déglutissait.

– C'est de ma faute, murmura-t-elle. L'orage arrivait, et je n'ai pas voulu rentrer à la maison, peut-être…

– Tais-toi.

Il la fusilla du regard. Il était furieux. Furieux et démuni.

– Nous n'y sommes pour rien, alors tais-toi, dit-il en se levant.

Il la toisait. Elle ne l'avait jamais vu comme ça.

– Sors de ce lit, Agnès.

Elle repoussa les couvertures en regardant Benedict.

– Nous avons une fille aux Fontaines. Tu ne peux pas rester comme ça. Tu ne peux pas faire comme si tu avais tout perdu, lança-t-il d'une voix étranglée.

Ses mains agrippaient les manches de sa veste. Agnès n'osait dire un mot.

– André veut te voir. Nous y allons maintenant.

Benedict sortit de la pièce. Elle se retrouva seule, debout au milieu d'une chambre inconnue. Ses vêtements étaient pliés sur une commode devant la fenêtre. La nuit tombait, elle entendait distinctement le bruit des voitures, des bus.

Elle s'habilla tant bien que mal et sortit sur la pointe des pieds. Benedict buvait du café dans la cuisine, Élise épluchait des légumes sur un torchon humide. Quand Agnès toqua à la porte, sa belle-mère lui offrit un sourire large et sincère.

– Mange quelque chose, ordonna Benedict en lui tendant un bol de soupe chaude.

Agnès s'exécuta. Benedict tenait les rênes. Elle était trop faible pour protester.

Le liquide lui brûla la langue, l'œsophage et l'estomac. Mais elle vida son bol. Benedict le remplit de nouveau.

Au bout d'une dizaine de minutes, il la prit par le bras et l'emmena dans l'entrée. Il couvrit ses épaules avec son manteau, enroula une écharpe autour de son cou et ouvrit la porte. Elle avança sur le palier, elle sentait sa main dans son dos qui la guidait.

Le trajet jusqu'à l'hôpital fut long et silencieux. Ils étaient montés à l'arrière d'un taxi qui filait à travers la ville, le chauffeur pilait aux feux rouges, gueulait contre les cyclistes et les enfants qui traversaient au mauvais endroit. Sa voix était insupportable. Agnès ne s'endormit pas. Elle regardait devant elle, impassible. La vie continuait. Quoi qu'elle en dise, Benedict avait raison. Leur fille attendait aux Trois-Gueules des nouvelles de son grand-père. Elle viendrait le surlendemain, et Agnès ne pouvait pas s'endormir pendant trois jours et attendre qu'elle reparte. Elle devait faire face.

La dernière heure

Ils s'arrêtèrent devant la chambre d'André.

Le couloir était calme. L'odeur de nourriture industrielle et de médicaments retourna l'estomac d'Agnès qui s'accrochait fermement au bras de Benedict. Il poussa doucement la porte et ils entrèrent, le pas lourd ; leurs yeux s'habituèrent à la lumière blanche, vacillante, sur la table de chevet.

André ne dormait pas. Sa machine ronronnait à ses côtés, il était immobile, mais ses yeux ouverts fixaient son fils et sa belle-fille. Sans colère ni tristesse. Il les regardait simplement, comme s'il ne les attendait pas.

À la grande surprise de Benedict, Agnès s'avança la première. Elle tira le fauteuil près du lit et s'assit de manière à ce qu'André n'ait pas à tourner la tête pour la voir.

– Je sais ce que vous pensez, André.

Il cligna des yeux. Sa bouche tressaillit. Un demi-sourire, d'une bienveillance incroyable, s'inscrit sur ses lèvres et Agnès posa sa main glacée sur celle de son beau-père. Elle oublia la fatigue.

– Benedict, est-ce que tu peux sortir un moment ? dit-elle sans regarder son mari.

Elle entendit la porte se refermer et serra la main d'André dans la sienne. De nouvelles larmes montèrent. Elle avait pensé ne plus pouvoir pleurer.

– Vous saviez ? demanda-t-elle en reniflant.

André souriait toujours. Il acquiesça. Dans la chambre voisine, on entendit un store se fermer. Agnès fondit en larmes sur les draps d'André. Son corps était secoué de sanglots. Le vieillard ne bougeait pas, il se contentait de serrer sa main. Pour la soutenir. Elle ne mourrait pas, sa peine serait longue à soigner. Lui était déjà libéré.

– Ce n'est pas votre faute, Agnès.

Sa voix était faible. Mais distincte. Il parlait lentement. Détachant chaque mot.

– Ce n'est pas votre faute. Ni celle de Valère.

Agnès cessa de pleurer. Elle releva les yeux vers son beau-père.

Il savait.

Depuis la naissance de Charles.

Elle comprit ses absences, ses regards perçants, l'accablement qui s'était abattu sur lui.

André prit une profonde inspiration. Son masque le gênait.

– Le grand-père de Valère avait cette tache sous le pied.

Chaque mot l'épuisait. Mais Agnès l'écoutait. Avide.

Alors c'était vrai. Même si elle s'était persuadée du contraire, même si elle avait fait taire la voix en elle, même si elle avait détourné les yeux. Charles était le fils de Valère.

– Ce n'est pas votre faute, répéta André.

Puis il s'affaissa. Éreinté. Agnès se leva, sur le point d'ouvrir la porte à Benedict, mais, avant de tourner les talons, elle embrassa son beau-père sur le front.

Loin des fontaines

Charles et André furent enterrés au cimetière de la ville, à deux stations de bus 56 de l'appartement d'Élise. Les anciens camarades de classe de Benedict présentèrent leurs condoléances. Élise serrait des mains, discutait avec des gens que son fils ne reconnaissait pas.

Il y eut du monde ; le milieu médical s'était déplacé, mais personne n'avait fait le chemin depuis les Trois-Gueules.

Pourquoi Benedict aurait-il enterré son père et son fils là-bas ? Il n'avait plus de maison. L'incendie avait tout ravagé. Le médecin ne supportait pas l'idée de bâtir un nouvel empire. Les forces des Fontaines avaient pris son enfant, son enfant béni, son enfant divin, les forces des Fontaines lui avaient donné un miracle pour le tuer ensuite. Benedict n'avait jamais cru en ce que les anciens racontaient, mais Charles était mort aux Fontaines. La Cabane avait disparu. Son assistant travaillait au cabinet et il ne l'avait pas appelé depuis son départ.

Personne n'était venu à l'enterrement.

Le premier jour, Grégoire l'avait amené à l'hôpital, puis il s'était effacé, sans rien d'autre qu'une tape amicale sur l'épaule.

Agnès et Benedict avaient été chassés des Trois-Gueules. Benedict se sentait humilié. Vulnérable. Les

Trois-Gueules avait pris son père et son fils, et personne ne se déplaçait pour leur rendre hommage. La vie continuait. L'atelier fonctionnait. Les carrières aussi. Il avait passé son existence à rendre meilleures celles des fourmis blanches et des paysans, et personne n'était venu.

Parce qu'il n'était pas né aux Trois-Gueules.

Parce qu'Agnès n'était pas née aux Trois-Gueules.

Parce qu'André n'était pas né aux Trois-Gueules.

Et Charles était un miracle. Un enfant à part. Les forces l'avaient repris et les habitants avaient sans doute imaginé que c'était « dans l'ordre des choses ».

Bérangère était restée deux jours après l'enterrement. Valère s'excusait, il ne pouvait pas être là. Il présentait ses condoléances, et tout son courage à Agnès. « À Agnès. » Benedict, trop heureux de voir sa fille, ne vit pas sa femme quitter la pièce quand Bérangère lui annonça que Valère ne venait pas.

Elle s'enferma dans sa chambre.

« À Agnès. »

Est-ce qu'il savait que cet enfant était le sien ? Est-ce qu'il souffrait comme elle souffrait ? Agnès fit les cent pas entre le lit et la fenêtre. Comment pouvait-il refuser d'assister aux funérailles de son propre fils ? Comment osait-il dire qu'il était « occupé » ? Puis elle se souvint qu'elle ne l'avait pas regardé, qu'elle ne lui avait pas parlé une seule fois depuis l'annonce de la naissance de Charles. Elle s'était persuadée que cet enfant était celui de Benedict, et ne lui avait laissé aucune chance. Aucune.

Lorsque Bérangère reprit la route des Fontaines, où elle comptait passer « le reste de sa vie », Agnès et Benedict promirent de lui rendre visite. Ce qu'ils ne firent jamais.

Les années suivantes, elle vint en ville mais ils ne traversèrent plus les Trois-Gueules. Ils avaient été chassés du paradis terrestre. Ils n'étaient pas de cette terre. Ils n'avaient pas ce sang. Ils n'avaient rien. L'argent ne suffisait pas. La Cabane ne suffisait pas. Bérangère ne suffisait pas. Elle vivrait avec un natif du pays, un garçon de son âge, né sur la terre de ces ancêtres, la terre de Bérangère. Elle ne serait plus « la fille du médecin », mais « la femme de Valère ». C'était ce qu'elle voulait. La vie continuait. Ils auraient des enfants, des enfants nés là-bas, des enfants des Fontaines, que les forces ne prendraient pas. Il n'y aurait pas de miracle, de tache, de trace, de signe. Valère et Bérangère étaient deux enfants des Fontaines. Qui auraient des enfants des Fontaines. Et ni Benedict ni Agnès n'iraient contre les lois suprêmes des Trois-Gueules.

Les collègues de Benedict avaient parlé en ville. Les Fontaines n'étaient pas un endroit dangereux ou maudit. On y mangeait très bien, et pour rien du tout, la vue était splendide, les maisons jolies. Pour qui avait de l'argent à investir, c'était l'endroit rêvé.

La banlieue urbaine s'étendait désormais jusqu'aux portes des Trois-Gueules. La route avait été goudronnée, balisée, il fallait toujours descendre jusqu'au torrent pour atteindre les carrières puis remonter aux Fontaines, mais cela n'était plus aussi périlleux qu'avant. Si la ville continuait à enfler, des gens s'intéresseraient aux maisons des fourmis blanches, aux terrains constructibles. Les spécialistes avaient tous acheté des chalets aux Bois-Noirs et trop parlé en ville. Ces gens-là connaissaient du « monde ». Ils criaient partout que les Trois-Gueules seraient le nouvel eldorado, qu'il fallait être visionnaire.

Alors des investisseurs s'étaient présentés chez les paysans.

– Combien pour vos terres ? Et ces bâtiments, vous ne les utilisez pas ? Nous pouvons vous offrir trois fois ce que vous gagnez en une année.

Ils étaient allés voir tous les propriétaires des Fontaines, dans un rayon de vingt kilomètres autour du bourg. Partout la même réponse :

– Vous n'êtes pas d'ici.

Les paysans, les fourmis blanches, les descendants des frères Charrier eux-mêmes ne cédèrent pas un mètre carré de terre aux promoteurs. L'accès aux Fontaines, quoique plus rapide, restait difficile pour des inconnus. S'ils construisaient un pont permettant de rallier la banlieue proche, les habitants céderaient leurs terres, l'un d'entre eux finirait par craquer. Les enfants, si proches de la ville, partiraient et les fermes ne seraient plus transmises. On les vendrait pour les raser et installer des résidences, des maisons bourgeoises, des jardins clôturés. La profondeur des Trois-Gueules sauvait, pour l'instant, Les Fontaines de l'abandon. Tout ça parce que Benedict avait voulu soigner les yeux, les dents, les intestins de ses patients. Le médecin était allé recruter des aides dans la meilleure université du pays, il les avait logés, nourris, blanchis tout le temps qu'ils consultaient aux Fontaines, et ils avaient parlé, à table, dans des restaurants chics, dans des bars du centre, aux comptoirs propres des hôtels de luxe, ils avaient fait passer le mot à leurs camarades de lycée qui cherchaient désormais de nouveaux horizons à transformer en machine à billets.

Benedict n'était jamais revenu aux Fontaines. Heureusement pour lui. Quand les investisseurs avaient frappé aux portes, les paysans s'étaient sentis trahis, les fourmis blanches avaient insulté le médecin. Quand son assistant venait au Café, ils lui demandaient si son patron avait la « conscience tranquille ».

Benedict craignit que sa fille soit embêtée à cause de lui ; il n'en fut rien. Elle vivait avec Valère. Ils ne s'étaient pas encore mariés mais elle en parlait déjà. L'année qui suivit l'obtention de son diplôme, elle travailla à la ferme, passa une licence d'économie par correspondance. Le successeur de Grégoire, une ancienne fourmi blanche reconvertie en chef des travaux municipaux, l'engagea vingt heures par semaine à la mairie. Il avait besoin de quelqu'un qui s'y connaissait en trésorerie. Malgré sa bonne volonté, Grégoire avait fait des dégâts. Bérangère devint le bras droit du maire et la porte-parole des paysans qui n'avaient pas l'habitude de parler lors des réunions officielles. Elle s'exprimait correctement, ne craignait rien ni personne, et chacun avait en tête la disparition de son frère dans l'incendie. L'enfant prodige mangé par les flammes des Fontaines. Bérangère ne parlait pas de ses parents, elle refusait d'aborder le sujet. Ils étaient bien là où ils se trouvaient, c'était de l'histoire ancienne. Elle était une enfant des Fontaines, elle apporterait ses lumières, montrerait qu'elle avait les épaules assez larges pour supporter le poids du passé et celui de l'avenir.

Depuis la mort de Charles, elle n'avait plus peur de rien. Son existence ressemblait à un combat permanent contre l'oubli. Quand les investisseurs s'étaient présentés aux Trois-Gueules, elle avait conseillé les paysans, rencontré les fourmis blanches. Elle avait protégé le village et ses habitants. Elle parlait bien, haut et fort, ne rechignait pas à hausser le ton. La mort de son frère l'avait libérée ; sa famille était partie. Elle construirait la sienne, la consoliderait, bâtirait une autre Cabane sur les ruines de la précédente. Cette terre était la sienne ; Benedict et Agnès étaient de l'autre côté. Elle était leur fille, et le resterait. Mais, pour les habitants des Fontaines, elle serait à jamais une enfant des Trois-Gueules.

Dans l'église

L'église était sombre et glacée. L'automne gelait lentement les dernières chaleurs, les habitants rentraient les chaises devant les portes des maisons basses, tenaient leurs enfants par la main quand le vent soufflait fort, en les grondant s'ils tentaient d'échapper à leur vigilance.

Deux ans avaient passé depuis l'incendie ; Grégoire n'était plus maire. Quand le nouveau chef du village fut élu, son prédécesseur déposa les clés de son bureau dans la boîte aux lettres et prit un long congé, de l'autre côté des Trois-Gueules, où la banlieue urbaine grignotait les territoires jadis abandonnés. L'ancien maire partit faire fortune dans l'immobilier ; l'argent investi dans l'atelier des frères Charrier lui avait rapporté de quoi acheter des terrains constructibles à l'orée de la ville, où les transports en commun dégueulaient ouvriers et écoliers qui s'enfermaient le soir dans des maisonnettes jaunes et carrés.

Bérangère travaillait pour le nouveau maire. Il connaissait l'histoire de sa famille, ce père qu'on maudissait depuis que des investisseurs s'étaient permis de poser le pied aux Fontaines. Bérangère avait fait face. Elle était restée fière, indestructible, la perte de son petit frère l'avait rendue sourde aux plus lourdes menaces. Puis les ragots s'étaient calmés ; après tout, les forces avaient retiré un enfant à Benedict, qui n'était pas réapparu depuis l'incendie. Bérangère devint l'ultime représentante de la famille aux Trois-Gueules. Il ne restait qu'elle. Les autres étaient soit morts, soit partis, couverts de honte et de chagrin. Seule Bérangère avait continué ; Valère à ses côtés, elle s'était lancée dans la chasse aux loups, elle avait réuni les paysans, les fourmis blanches, les commerçants, elle connaissait leurs droits sur leurs terres, les avaient conseillés pour repousser les banquiers qui bavaient devant des hectares de terrain qui, dans vingt, trente ans, vaudraient cent fois leur prix initial. Elle avait prouvé sa valeur en repoussant les hommes que son propre père avait amenés aux Trois-Gueules.

Valère attendait Bérangère devant l'église.

Il n'avait pas revu Agnès depuis la fête des Fontaines. À cette époque, Charles était encore vivant, il dormait contre elle. Valère et Bérangère s'étaient réfugiés sur le ponton pour échapper à la cohue des habitants qui venaient admirer l'enfant. Depuis la naissance du petit, Agnès n'avait plus posé les yeux sur Valère ; il n'existait plus. Une ombre. Un fantôme. Et Valère s'était coulé dans ce rôle, il avait été ce garçon silencieux, absent, pétri de chagrin, de désir et de douleur, il avait accepté de rendre les armes, de ne plus l'aimer, de ne plus la suivre, il ne cherchait plus sa présence, son regard, ses gestes. On l'avait relégué dans un coin de la famille, Charles était là et prenait toute la place. Agnès se fichait de Valère, elle ne le voyait pas, elle ne sentait plus son souffle, elle ne se demandait pas s'il souffrait ou non. Quand l'incendie avait ravagé La Cabane, Valère était monté, comme les autres, regarder les dernières flammes lécher les murs et cracher des morceaux noirs de la vie du médecin, il avait tenu Bérangère dans ses bras pendant que la voiture s'éloignait des Trois-Gueules, emmenant sa famille, ou ce qu'il en restait, de l'autre côté, là où lui n'irait jamais, là où désormais Agnès attendait que le temps fasse son œuvre, qu'il passe, qu'il écrase les traces du passé, les restes de Charles, ceux d'André, cette vie si courte qu'ils avaient crue enracinée dans la terre des Fontaines. Quand il avait vu l'ambulance disparaître derrière les Bois-Noirs, Valère avait senti sa peine gonfler, tel un abcès sur le point d'éclater. Et c'était arrivé. Il s'était vidé de sa douleur, de cette horreur qui grossissait en lui depuis des mois, il avait senti le poids des dernières semaines exploser, comme des oiseaux qu'on abat violemment.

Ils ne reviendraient plus aux Trois-Gueules. Benedict et Agnès ne seraient pas capables d'affronter les forces une nouvelle fois, elles leur avaient pris La Cabane et l'enfant. C'était trop. Agnès ne viendrait plus fouler la terre des ancêtres de Valère. C'était fini. Il n'aurait plus mal. L'enfant, La Cabane, Agnès, tout ce qui le ravageait avait disparu en une seule nuit. La mort de Charles, si dévastatrice fût-elle pour la famille, les Trois-Gueules et Bérangère, fit sauter ses derniers cadenas : c'en était fini d'Agnès. De son désir pour elle. De ces nuits blanches qu'elle hantait. De sa fierté agressive. Son fils était mort dans l'incendie, elle avait perdu toute dignité en se laissant gagner par le délire, par cette douleur atroce d'une mère orpheline de son enfant. Tout ce qui l'attirait à elle s'était évanoui, à l'instant où il avait vu la fumée monter depuis La Cabane. Tout.

Depuis, il vivait doucement, avec Bérangère, il avait séché ses larmes, parlé des enfants qu'ils auraient ensemble, bientôt. Il s'était mis en quatre pour la consoler, pour qu'elle oublie cette famille en deuil, de l'autre côté des Trois-Gueules. Elle était née ici. Son domaine. Sa force. Les Fontaines l'aideraient à surmonter la perte du frère qu'elles lui avaient enlevé.

Et comme lors du premier décès dans La Cabane, quand André avait retrouvé ce garçon dans son lit, comme dans tous les hôpitaux du pays, la vie reprit son cours. Les blessures qu'on pensait si graves cicatrisèrent. Les gens sourirent de nouveau, apprirent à vivre sans celui qu'ils avaient perdu. Les hommes continuèrent de respirer. Le corps ne les lâchait pas. De nouvelles tempêtes les secouaient, ils se laissaient emporter et la vie d'avant devenait un détail gravé dans leur mémoire, telles des initiales sur un tronc d'arbre au pied duquel personne ne vient plus s'asseoir.

Bérangère sourit de nouveau. Valère l'aidait. Il voulait des enfants. Il ne pensait qu'à ça. Des enfants. Qu'aucun incendie n'avalerait. Qu'aucune flamme ne mangerait. Fonder une grande famille, élever des garçons intelligents qui ne seraient pas autorisés à battre leurs petits frères. Il s'imaginait amener ses filles à l'école, à la fête des Fontaines. Et Bérangère oublia, peu à peu, qu'il y avait eu une vie avant la leur, avant la ferme, la mairie. Elle effaça les traits de Charles, les pièces immenses de La Cabane. Elle ne garda en elle qu'une infime partie de ce qu'elle avait vécu avant de s'installer avec Valère : la mort de Charles, le départ de ses parents avaient marqué la fin d'une ère, celle des médecins de campagne. André et Benedict ne régnaient plus sur Les Fontaines.

Valère attendit quelques minutes devant la grille et se retourna lorsqu'il entendit les graviers crisser derrière lui.

Clément se tenait devant l'église, comme à son habitude. Il ressemblait à un arbre long et noir, planté là depuis des années. Il fit signe à Valère qui traversa la rue pour lui serrer la main. Mais au lieu de retourner devant la mairie d'où sortirait bientôt Bérangère, et à la grande surprise de Clément, le garçon voulut rentrer à l'intérieur, prétextant qu'il faisait trop froid pour discuter dehors. Clément ne dit rien ; il l'invita à passer devant lui, en effleurant de la paume le large dos du jeune paysan.

Un frisson parcourut Valère : l'église était vide et glacée. Les bancs propres s'étendaient, les statues sans yeux, grises et étranges, l'effrayaient. La lumière du jour baissait ; les bougies allumées devant les icônes animaient les ombres sur les murs froids.

Clément s'engouffra dans l'allée centrale et avança jusqu'au deuxième rang. Il était là chez lui. Ses gestes étaient plus lents, plus sereins. Il ne jouait pas.

Valère le suivit. Avant que le prêtre se retourne, il s'assit au bout d'un banc de bois foncé, usé. Combien d'habitants étaient venus ici, le lendemain de la mort de Charles ? Cent ? Deux cents ?

Clément remonta légèrement l'allée jusqu'à lui et, avant de s'installer à ses côtés, jeta un coup d'œil furtif vers l'entrée de la crypte, tombeau d'un moine célèbre, qui avait, disait la légende, donné son nom aux Fontaines.

Ils étaient seuls. Pas un bruit. Pas un souffle. Valère avait les mains gelées ; il les enfonça dans les poches de son épais blouson. Rien ne le réchauffait. Pas même le regard bienveillant de Clément, qui s'était assis à côté de lui, une jambe par-dessus l'autre, comme s'il prenait le thé en compagnie d'une vieille dame. Son bras étendu sur le dos du banc, il avait des airs d'éphèbe au corps doux et gracieux, que le temps n'altérait pas.

– Il n'y a pas foule, dit Valère en frottant ses mains à l'intérieur de ses poches.

– Nous sommes deux, c'est mon record, répondit Clément.

Valère sourit.

– Je voudrais vous parler de Charles, lâcha-t-il, comme un adolescent avoue une bêtise.

Ses mains tremblaient. Il ne regardait pas Clément. Ses yeux fixés sur la statue de Jésus sur la croix ne clignaient pas.

Clément tourna la tête vers la statue. À quelques mètres, Marie, toute en pierre, tenait l'enfant divin dans ses bras.

– Tu veux me parler de ton fils, dit-il doucement, sans arrogance.

Valère ne détourna pas le regard. Lèvres serrées. Clément ne se moquait pas de lui. Il avait dit ça comme une évidence, comme un détail ennuyeux qu'il désirait évacuer.

– Qui vous l'a dit ? Qui est au courant ?

Son souffle se fit plus sonore, plus rapide. Comment le prêtre savait-il ? Est-ce qu'on avait parlé aux Fontaines ?

– Pour quelle autre raison viendrais-tu me parler de Charles, sinon ?

Le jeune homme serrait les poings dans ses poches. Ses ongles enfoncés dans sa paume l'apaisaient un peu.

– C'est mon métier de voir ce que les autres ne voient pas, continua Clément.

Sa voix devenait plus profonde.

Valère ne voulut pas savoir comment Clément avait deviné : le prêtre était un homme discret, silencieux et habile. Peut-être qu'un geste avait suffi. Peut-être la fête des Fontaines. La noyade. Il ne savait pas quel détail les avait trahis, mais Clément était au courant.

– Je ne sais pas vraiment si c'était mon fils, dit-il, l'air idiot.

Clément le fixait. Sans chercher à fouiller dans son âme. Il prenait ce que Valère lui donnait.

– Tu ne serais pas ici si tu n'en étais pas certain.

Valère n'avait jamais parlé, à personne, de Charles. Pour tous, l'enfant était le fils de Benedict. On avait fêté sa naissance, célébré sa venue comme celle d'un dieu. Même Agnès semblait croire qu'il était le fils du médecin. Elle n'avait plus adressé un mot, un regard à Valère. Jamais. Le père était resté caché, dans son coin, soignant sa douleur, seul, désespérément seul, regardant le monde s'écrouler, imaginant qu'il lui serait impossible de vivre dans un monde où la femme qu'il adorait portait leur fils dans ses bras sans une once d'inquiétude. Agnès avait décidé que l'enfant serait celui de Benedict. Pas d'alternative. Rien à dire, rien à faire. Pas un geste. Pas un doute. Pas de scandale. Ça n'aurait pas pu être autrement. Leur idylle n'avait jamais existé. Voilà ce qu'elle disait quand elle refusait de croiser son regard. « Cela » n'avait pas eu lieu. Valère, dans sa fièvre, avait accepté.

– Est-ce que c'est de notre faute ? dit Valère, la voix étranglée, au bout d'un long moment.

Clément vit les larmes perler au coin des yeux du garçon. Mais il ne pleurait pas. Il voulait une réponse.

– Bien sûr que non.

Clément s'étira sur le banc. Dès qu'il restait trop longtemps sans bouger, le froid gagnait ses articulations.

– Valère, est-ce que ça t'apaiserait de m'en parler ? reprit le prêtre.

Sous les yeux de pierre des statues qui le regardaient depuis leurs colonnes, Valère se sentit nu, à vif, comme un nerf dans une dent cassée, prêt à vibrer. Leurs bouches fermées ne pouvaient pas crier sur la place publique. Il inspira un grand coup.

Valère descendit l'escalier, les dents serrées, les yeux mi-clos. Son cœur battait à tout rompre.

Agnès avait gagné. Il ne pouvait pas lui tenir tête. Pourquoi n'était-il pas monté ? Pourquoi l'avait-il laissée parler, se défendre ? Ils étaient seuls, dans cette grande maison silencieuse, au milieu d'une vallée que ses ancêtres avaient sillonnée.

« Quitte cette maison maintenant. Tu n'as rien à faire ici. »

Bien sûr que si. Il était à sa place, près d'elle. Il l'avait sentie sur le point de craquer, ses doigts sur la rambarde de l'escalier creusaient le bois brun, elle le regardait avec les yeux d'un rapace qui fond sur sa proie. Agnès était une guerrière. Une guerrière amoureuse. Valère avait vu son cou se tendre, son corps se raidir quand elle était descendue jusqu'à lui. Peut-être qu'à ce moment-là elle pensait réellement à le laisser la toucher.

Mais ensuite : « Quitte cette maison. »

Il aurait voulu se jeter sur elle, la griffer, la battre jusqu'à ce qu'elle demande grâce pour tout le mal qu'elle lui infligeait. Elle savait qu'il souffrait, qu'il n'en pouvait plus, qu'il ne dormait plus, qu'il travaillait lentement, que toutes ses pensées étaient tournées vers elle. Elle le savait, et pourtant : le coup de grâce. Ses yeux tournaient la lame dans la chair de Valère et sa colère était inutile : elle avait gagné.

Il descendit les marches doucement. Les mains croisées sur son ventre. Il avait mal. Il n'y aurait plus de moment entre eux, plus de regard, plus de sauvetage. Elle avait gagné la guerre. Il se sentait faible, affreusement triste, incapable de se venger, de dire ce qu'il ressentait. Parler. Quelle idée ridicule.

Les oiseaux se turent de nouveau. Valère n'avait jamais vu la vallée aussi calme et paisible. Comme si les animaux l'accompagnaient silencieusement dans sa douleur. Il avança prudemment sur le chemin couvert de boue séchée et s'arrêta devant le jardin. Les fleurs étaient pâles et belles. Très fines. Sur le point de se rompre.

Avant de quitter La Cabane, il tourna sur ses talons et son regard se posa sur le premier étage. Comme ce fameux dimanche. Il voulait sentir l'électricité une dernière fois. Elle avait gagné. Même les oiseaux s'étaient tus.

Stupéfait, il fixa la baie vitrée.

Agnès était là. Les épaules en arrière, le front taché de sueur. Son visage n'était pas celui d'une reine qui vient de terrasser son pire ennemi. Elle se tenait bien droite, les mains sur la vitre, mais ses yeux écarquillés trahissaient son angoisse. Elle regardait Valère, sa bouche tordue en un rictus affreux, l'expression d'une femme qui ne veut pas pleurer et refoule ses larmes malgré la vague de chagrin déferlant dans son corps.

Valère fronça les sourcils. Elle ne bougeait pas. Ses jambes tremblaient. Son visage était blême. La couleur avait déserté la vallée et les hommes qui l'habitaient. Agnès ne détachait pas les yeux du garçon qui attendait, docile, qu'elle achève ce qu'elle avait commencé. Mais elle n'y arrivait pas. Chaque geste était une souffrance, un choc supplémentaire. Elle n'y arrivait pas ;

elle aurait dû lui faire signe de déguerpir, prendre un air indigné, triomphant, mais sa bouche, ses pommettes, son nez, son front, son visage ne répondaient pas à ses appels. Elle était piégée, et lentement, très lentement, elle tourna sur ses pieds, lança un dernier regard que Valère comprit. Depuis leur première rencontre, ils n'avaient pas eu besoin de se parler. Il y avait des gestes, des expressions qu'eux seuls saisissaient. Ils s'étaient munis d'un lexique unique, différent, ils en connaissaient chaque nuance.

Valère fit demi-tour et monta les marches.

Agnès était descendue, elle l'attendait dans le salon, debout contre le dos du canapé, les mains bien à plat, le dos légèrement cambré, la nuque dégagée. La poussière du grenier dessinait des formes indistinctes sur son pull bleu foncé. Elle l'attendait.

– Vous ne me reprochez rien ? demanda Valère, surpris devant l'air tranquille du prêtre.

Clément mit du temps à répondre. Il ne bougeait pas. Il s'imprégnait des paroles de Valère. Ses doigts sur le bois égrainaient un chapelet imaginaire.

– Dieu ne punit pas ceux qui s'aiment, dit-il simplement.

Clément ouvrit les yeux. Ceux de Valère débordaient à présent de larmes qu'il ne retenait pas.

– Tu as souffert, Valère, continua-t-il, sans le toucher, sans bouger. Tu as perdu un enfant.

Valère détourna la tête, saisi de colère, et se leva d'un bond, prêt à attaquer la statue devant lui.

– Je n'ai jamais pris Charles dans mes bras, crachat-il, comment aurais-je pu l'aimer ?

Clément se leva à son tour. Plus solide qu'il ne paraissait. Valère tournait comme un lion en cage.

– Tu as perdu un enfant, et tu as perdu sa mère. Agnès.

Depuis quand n'avait-il pas entendu ce prénom ? Dans la bouche de Clément, il résonnait, pur et simple, comme ses pas dans l'escalier, la première fois qu'il l'avait rencontrée. Charles était mort, et sa disparition avait retiré à Agnès une partie de sa beauté, de sa prestance, elle s'était engouffrée dans sa douleur, et Valère ne supportait pas qu'elle, si belle, si élégante, puisse tomber du piédestal où elle s'était dressée. Charles était son fils, sa mort lui avait arraché Agnès, la beauté d'Agnès, les regards d'Agnès, comme les habitants lorsqu'ils l'avaient tirée d'entre ses bras le jour de la noyade. Quoi qu'il fasse, on lui volait cette femme, il ne pouvait la garder contre lui.

– Tu as trop souffert, Valère, répéta Clément qui s'avançait.

Les statues faisaient un coquillage de regards immobiles, salvateurs.

– Qu'est-ce qui va m'arriver ? dit-il en reniflant, plus calme, plus apaisé.

Clément sourit.

– Je ne sais pas. Je suis prêtre, pas devin.

Valère rit. De bon cœur. Il comprenait pourquoi les vieux n'aimaient pas Clément : il était drôle et discret. Intelligent.

– Bérangère t'attend, conclut Clément en prenant Valère par le bras.

Ils se dirigèrent, tel un couple de bons amis, vers la porte, et remontèrent l'allée centrale sans rien dire.

Le froid surprit les deux hommes qui s'attardèrent quelques minutes sur la place. Le Café ouvert envoyait des effluves de viande grillée. La poussière soulevée par le vent froid retombait en nuée sur la soutane du prêtre. Les nuages s'effilaient au-dessus d'eux, un grand drap gris déchiré. Valère n'aimait plus l'orage. Il craignait la foudre.

Devant eux, Bérangère attendait, debout sur les marches de la mairie. La grille masquait en partie Valère et Clément.

– Elle t'attend, dit le prêtre en pressant l'épaule de Valère. (Puis, avant de disparaître dans l'église, il lui souffla :) N'essaie pas de te persuader que ça n'a jamais eu lieu.

Avant que le jeune homme ait pu répondre, Clément s'évapora dans l'ombre des statues colossales, qui, dorénavant, hébergeraient son secret, et celui d'Agnès.

Dehors, la vallée ondulait légèrement ; elle remuait, frissonnante et splendide, pendant qu'aux Fontaines les anciens s'asseyaient au Café, enveloppés dans leur orgueil, prêts à tout sacrifier pour la beauté des Trois-Gueules et des enfants qui y étaient nés.

Table

Le Voleur de vie
Revoir, 2007

Sauvages
Revoir, 2008

Méfiez-vous des enfants sages
Viviane Hamy, 2010
et « Points », n° P2967

Soleil cogne
(illustrations de Axel Garrigues, Amélie Girard, Chokko Primero & Xavier)
Horripeaux, 2011

Les Rouflaquettes électriques
(illustrations Vedrana Donic)
Zinc, 2011

Le roi n'a pas sommeil
Viviane Hamy, 2012
et « Points » n° P3173

Le Rire du grand blessé
Viviane Hamy, 2013
et « Points », n° P4141

Les grandes villes n'existent pas
Raconter la vie, 2015

Le Cœur du pélican
Viviane Hamy, 2015
et « Points », n° P4355

Petit Éloge du running
Françoise Bourin, 2018

RÉALISATION : NORD COMPO À VILLENEUVE-D'ASCQ
IMPRESSION : CPI FRANCE
DÉPÔT LÉGAL : JUIN 2018. N° 137527-2 (3030526)
IMPRIMÉ EN FRANCE

Éditions Points

le cercle

Le catalogue complet de nos collections est sur
Le Cercle Points, ainsi que des interviews de vos
auteurs préférés, des jeux-concours, des conseils
de lecture, des extraits en avant-première…

www.lecerclepoints.com